GRAMMAIRE FRANÇAISE

Imprimé en France sur Presse Offset par

BRODARD & TAUPIN

GROUPE CPI

La Flèche (Sarthe), le 20-05-2005.
N° d'imprimeur : 29764 – Dépôt légal : mai 2005

Table des matières

INTRODUCTION 12

CHAPITRE 1 – DÉFINITIONS PRÉALABLES

1. La grammaire 13
2. Catégories de mots 14
   2.1. Définitions des catégories de mots 14
   2.2. Mots variables et mots invariables 16
   2.3. Radical, racine et terminaison 17
   2.4. Familles de mots 17
   2.5. Homonymes, paronymes, synonymes et antonymes. 19
3. Lettres, sons et prononciation 20
   3.1. Classification des lettres 20
   3.2. Les voyelles 21
   3.3. Les consonnes 23
   3.4. Éléments de prononciation 24
   3.5. Accents et signes orthographiques 27

CHAPITRE 2 – LE VERBE

1. Définition du verbe 29
2. Catégories de verbes 30
   2.1. Verbes d'état et verbes d'action 30
   2.2. Verbes transitifs et intransitifs 31
   2.3. Verbes pronominaux 34
   2.4. Verbes impersonnels 35

3. Voix 37
3.1. Voix active 37
3.2. Voix passive 37
4. Nombres et personnes 38
4.1. Nombres 38
4.2. Personnes 38
5. Modes et temps 38
5.1. Modes 38
5.2. Temps 40
5.3. Temps simples et temps composés 42
5.4. Les temps dans les modes 43
6. Composition verbale et conjugaison 45
6.1. Composition du verbe 45
6.2. Conjugaison 46
6.3. Modèles de conjugaison 48
6.4. Tableau récapitulatif des finales aux temps simples 81
7. Verbes irréguliers et verbes défectifs 82
7.1. Verbes irréguliers 82
7.2. Verbes défectifs 82
7.3. Liste des verbes irréguliers et défectifs les plus courants 83
8. Accord du verbe 120
8.1. Règle générale d'accord 120
8.2. Accord avec un nom collectif 120
8.3. Accord avec plusieurs sujets 121
8.4. Accord avec le pronom relatif *qui* 123
8.5. Accord avec des verbes impersonnels 125

9. Le participe présent est invariable 126
10. Accord du participe passé 127
10.1. Participe passé sans auxiliaire 127
10.2. Participe passé conjugué avec l'auxiliaire *être* 127
10.3. Participe passé conjugué avec l'auxiliaire *avoir* 128
10.4. Participe passé des verbes impersonnels 129
10.5. Participe passé des verbes intransitifs.... 129
10.6. Participe passé des verbes pronominaux 130
10.7. Participe passé suivi d'un infinitif 131
11. Emploi des modes et des temps 133
11.1. L'emploi de l'indicatif 133
11.2. L'emploi du subjonctif 137
11.3. L'emploi du conditionnel 138
11.4. L'emploi de l'impératif 139
11.5. L'emploi de l'infinitif 139
11.6. L'emploi du participe 140

CHAPITRE 3 – LE NOM

1. Définition du nom 147
1.1. Le nom 147
1.2. Le groupe nominal 147
2. Catégories de noms 149
2.1. Noms communs et noms propres 149
2.2. Noms concrets et noms abstraits 150
2.3. Noms collectifs 151
2.4. Noms composés 151

2.5. Mots employés comme noms 151
3. Genre des noms 152
3.1. Genre des noms communs 152
3.2. Genre des noms propres 153
3.3. Formation du féminin dans les noms 153
4. Nombre des noms 157
4.1. Pluriel des noms 157
4.2. Pluriel des noms composés 159
4.3. Pluriel des noms propres 163
4.4. Pluriel des noms latins et étrangers 163
5. Fonctions du nom 165
6. Règles d'accord 167
7. Compléments du nom 168

CHAPITRE 4 – L'ADJECTIF QUALIFICATIF

1. Définition de l'adjectif qualificatif 171
2. Genre de l'adjectif qualificatif 172
3. Nombre de l'adjectif qualificatif 176
4. Degrés de qualification des adjectifs qualificatifs 178
4.1. Le positif 178
4.2. Le comparatif 178
4.3. Le superlatif 180
5. Fonctions de l'adjectif qualificatif 182
6. Accord de l'adjectif qualificatif 183
6.1. Règles d'accord 183
6.2. Le cas des adjectifs composés 184

CHAPITRE 5 – LE DÉTERMINANT

1. Définition et espèces de déterminants 187
    1.1. Définition et caractéristiques 187
    1.2. Espèces de déterminants 190
2. L'article 192
    2.1. Définition de l'article 192
    2.2. Catégories et emplois de l'article 192
3. L'adjectif possessif 195
    3.1. Définition de l'adjectif possessif 195
    3.2. Formes de l'adjectif possessif 195
    3.3. Accord et emploi de l'adjectif possessif .. 196
4. L'adjectif démonstratif 198
    4.1. Définition de l'adjectif démonstratif 198
    4.2. Formes de l'adjectif démonstratif 198
    4.3. Accord et emploi de l'adjectif démonstratif. 199
5. L'adjectif numéral 200
    5.1. Définition de l'adjectif numéral 200
    5.2. L'adjectif numéral cardinal 200
    5.3. L'adjectif numéral ordinal 202
6. L'adjectif indéfini 204
    6.1. Définition de l'adjectif indéfini 204
    6.2. Formes de l'adjectif indéfini 204
    6.3. Accord et emploi de l'adjectif indéfini 205
7. L'adjectif relatif 208
8. L'adjectif interrogatif ou exclamatif 209

CHAPITRE 6 – L'ADVERBE

1. Définition et caractéristiques 211
   1.1. Définition de l'adverbe 211
   1.2. Locutions adverbiales 212
2. Catégories d'adverbes 212
   2.1. Adverbes d'affirmation 212
   2.2. Adverbes de négation 213
   2.3. Adverbes de manière 216
   2.4. Adverbes de temps 219
   2.5. Adverbes de lieu 221
   2.6. Adverbes de quantité 224
   2.7. Adverbes de doute et d'interrogation 227
3. Degrés de signification de l'adverbe 228
4. Place de l'adverbe 229
5. Fonction de l'adverbe 230

CHAPITRE 7 – LE PRONOM

1. Définition et caractéristiques du pronom 231
   1.1. Définition et utilisation du pronom 231
   1.2. Genre et nombre du pronom 233
   1.3. Catégories de pronoms 234
2. Pronoms personnels 235
   2.1. Rôle du pronom personnel 235
   2.2. Formes du pronom personnel 236
   2.3. Fonction et emploi du pronom personnel 238
   2.4. Place du pronom personnel 243

3. Pronoms possessifs 245
3.1. Rôle du pronom possessif 245
3.2. Formes du pronom possessif 245
3.3. Accord et emploi du pronom possessif 247
4. Pronoms démonstratifs 249
4.1. Rôle du pronom démonstratif 249
4.2. Formes du pronom démonstratif 249
4.3. Emploi du pronom démonstratif 249
5. Pronoms relatifs 252
5.1. Rôle du pronom relatif 252
5.2. Formes du pronom relatif 252
5.3. Accord du pronom relatif 253
5.4. Emploi du pronom relatif 254
6. Pronoms indéfinis 257
6.1. Rôle du pronom indéfini 257
6.2. Formes du pronom indéfini 257
6.3. Emploi du pronom indéfini 259
7. Pronoms interrogatifs 262
7.1. Rôle du pronom interrogatif 262
7.2. Formes du pronom interrogatif 262
7.3. Place des pronoms interrogatifs 262
7.4. Emploi des pronoms interrogatifs 264

CHAPITRE 8 – PRÉPOSITION – CONJONCTION – INTERJECTION

1. Préposition 267
1.1. Définition et principales prépositions 267
1.2. Emploi de la préposition 268
2. Conjonction 270

2.1. Conjonction de coordination 270
2.2. Conjonction de subordination 271
3. Interjection 272

CHAPITRE 9 – LA PHRASE

1. La phrase 273
1.1. Définition.. 273
1.2. Structure de la phrase 274
2. Les mots essentiels de la proposition.............. 276
2.1. Le sujet 276
2.2. Le prédicat... 277
3. Les compléments.. 279
3.1. Définition du complément....................... 279
3.2. Le complément de l'adjectif.................... 279
3.3. Le complément de l'adverbe et des mots invariables 281
3.4. Le complément d'agent 282
3.5. Les compléments circonstantiels............ 283
3.6. Le complément du nom.......................... 285
3.7. Le complément du pronom 287
3.8. Le complément d'objet........................... 288
4. Catégories de propositions................................ 289
4.1. Proposition indépendante 289
4.2. Proposition principale............................. 290
4.3. Propositions subordonnées 290
5. L'ordre des mots dans la phrase 303
5.1. L'ordre des mots dans la proposition....... 303
5.2. Mots indépendants.................................. 305

5.3. Propositions coordonnées ou incises 305
6. Concordance des temps 306
6.1. Verbe de la proposition principale à l'indicatif présent ou futur 306
6.2. Verbe de la proposition principale au passé 307
6.3. Tableau récapitulatif de concordance des temps 310
7. Ponctuation 311

INDEX .... p. 313

INTRODUCTION

L'objectif de ce livre est avant tout pratique : il s'agit de mettre à la portée de tous les éléments essentiels de la grammaire française.

Le langage utilisé est volontairement simple et les termes grammaticaux sont systématiquement expliqués au fur et à mesure de leur apparition.

Des définitions courtes, claires, précises et des règles simples présentent les connaissances à retenir.
Elles sont accompagnées de nombreux exemples qui les illustrent et les résument.

Cette grammaire peut être utilisée de plusieurs manières :

• La consultation par l'index en fin d'ouvrage permet une recherche par thème ou par problème spécifique à résoudre (*le pluriel des noms composés, l'accord du participe passé, la concordance des temps*, etc.).

• La lecture d'un chapitre complet permet de faire le point sur une notion grammaticale (*le nom, le verbe, les déterminants*, etc.).

• Enfin, une lecture linéaire de l'ensemble de l'ouvrage est conseillée au public qui souhaite acquérir ou compléter sa connaissance de la grammaire française.

CHAPITRE 1

DÉFINITIONS PRÉALABLES

1. Grammaire

La grammaire est l'étude des éléments qui constituent la langue parlée et écrite. Elle énonce des règles qui permettent de combiner des mots et des groupes de mots pour constituer des phrases.

Pour ce faire, elle utilise conjointement les domaines suivants, qui interfèrent souvent entre eux :

- La phonétique (du grec ***phoné***, *voix*), qui étudie les lettres et les sons.
- La sémantique (du grec ***sêmantikos***, *qui fait sens)* étudie :

  ✓ le sens des mots : la lexicologie, du grec ***lexikon***, *lexique*, de ***lexis***, *mot*, et de ***logos***, *discours* ou *raison*);

  ✓ leur origine : l'étymologie, du grec ***etumos***, *vrai, véritable*, et ***logos*** ;

  ✓ leur forme ; la *morphologie*, des mots grecs ***morphé***, *forme*, et ***logos***, ou étude de la forme des mots, variables ou invariables.

■ La syntaxe (des mots grecs ***sun***, *ensemble, avec*, et ***taxis***, *disposition*), permet d'assembler et de combiner les mots en groupes et en phrases.

2. Catégories de mots

2.1. Définitions des catégories de mots

Pour parler et pour écrire, on emploie des mots. Le mot désigne un son ou un groupe de sons (mot prononcé), une ou plusieurs lettres (mot écrit), qui possèdent un sens et une fonction dans la phrase.

Il existe **neuf** catégories de mots en français :

a) **Le nom** est un mot qui sert à nommer une personne, un animal ou une chose : *homme – cheval – table*.

Le **groupe nominal** est composé du nom, appelé alors noyau ou chef de file, ainsi que d'autres mots en relation avec lui. Dans la phrase :

Le chien de mon frère *m'a mordu !*

le nom *chien* est le chef de file, l'article *le* et le complément du nom *de mon frère* font partie du même groupe nominal.

b) **Le déterminant** est un mot placé devant le nom et qui prend le même genre (masculin ou féminin) et le même nombre (singulier ou pluriel) que le nom auquel il se rapporte. Les déterminants regroupent l'**article** et les adjectifs non qualificatifs (**possessifs**, **démonstratifs**, **interrogatifs**, **indéfinis**, **numéraux**).

✓ Les déterminants définis désignent un être ou un objet connu ou nommé en particulier :

La *maison que nous habitons*. (article défini)

***Cette** chanson que nous aimons.* (adjectif démonstratif)
***Ma** voiture est encore tombée en panne !*
(adjectif possessif)

✓ Les déterminants indéfinis désignent un être ou un objet pris dans un sens indéterminé, lorsqu'on parle d'une manière générale :

*J'ai acheté **une** maison.* (article indéfini)

*Donne-moi **du** pain.* (article partitif)

*J'ai lu **trois** chapitres de ce livre.* (adjectif numéral)

*Elle a seulement mangé **quelques** fruits aujourd'hui.* (adjectif indéfini)

c) L'adjectif qualificatif apporte des précisions sur l'être ou la chose qu'il qualifie en exprimant ses caractéristiques ou ses qualités :

*Un cheval **blanc**.*

*Une **belle** image.*

*Un enfant **intelligent**.*

Les mots *blanc*, *belle* et *intelligent* indiquent les manières d'être du *cheval*, de *l'image* et de *l'enfant*, c'est-à-dire leurs qualités.

d) Le verbe est un mot qui marque que l'on est ou que l'on fait quelque chose (état ou activité) :

*Pauline **est** contente de sa journée.* (état)

Pauline fait des dessins. (activité)

Le **groupe verbal** : *est content de sa journée* regroupe autour du chef de file, le verbe ***être***, plusieurs mots qui sont en relation avec lui.

e) L'adverbe est un mot invariable (c'est-à-dire qui ne varie pas en genre ou en nombre) que l'on joint à un autre mot pour en modifier la signification en lui apportant un sens particulier :

*Le chien mange **goulûment**.*

f) **Le pronom** est un mot qui remplace le nom :

*Pierre vient ; **je lui** donne un livre.*

g) **La préposition** est un mot qui, placé devant un nom, un pronom ou un verbe à l'infinitif, sert à le joindre au mot qui le précède pour en compléter le sens :

*L' ordinateur **de** Pauline.*

Le mot *de* joint le mot *ordinateur* au mot *Pauline*, en établissant un rapport (d'origine dans cet exemple) entre les deux.

h) **La conjonction** sert à joindre des mots, des groupes de mots ou des propositions :

*Catherine **et** Jacques travaillent ensemble.*

La conjonction *et* joint le sujet *Catherine* au sujet *Jacques*.

i) **L'interjection** est une exclamation qui exprime un sentiment vif :

Ah ! – Oh ! – Aïe !

2.2. Mots variables et mots invariables

a) Parmi ces neuf catégories de mots, cinq sont **variables**, c'est-à-dire qu'ils peuvent changer de forme : le nom, les déterminants, l'adjectif qualificatif, le pronom et le verbe (dont le participe).

b) Les quatre autres sont **invariables**, c'est-à-dire que ces mots ne changent jamais de forme : l'adverbe, la préposition, la conjonction et l'interjection.

2.3. Radical, racine et terminaison

Les mots variables peuvent changer de forme. Toutefois, ce n'est pas le mot tout entier qui change. La partie du mot qui change s'appelle la *terminaison*. Le terme de *désinence* désigne les lettres placées à la fin des mots variables pour en indiquer le genre, le nombre, la personne, le temps et le mode.

Ce qui reste du mot quand on retranche la terminaison s'appelle le *radical*. Le radical change peu et représente l'idée principale du mot. Dans l'exemple : *j'**aimer**ai*, c'est le radical *aimer* qui représente l'idée d'aimer.

☞ Remarque : le radical contient souvent un élément plus simple, que l'on appelle la racine. La racine est la partie primitive du mot ; elle se trouve dans le radical. Dans l'exemple *j'aimerai*, le radical obtenu en retirant la désinence est *aimer*. La racine est *aim* ou *am*, que l'on retrouve dans tous les temps du verbe du verbe *aimer*, mais aussi dans d'autres mots, comme *amour* ou *amitié*.

✘ Attention : dans certains mots, le radical peut lui aussi changer. Par exemple, dans le verbe *vouloir*, le radical a subi, à la suite de l'évolution phonétique, des modifications : *je veux, je voudrai*, etc.

2.4. Familles de mots

Définition : les mots qui possèdent un radical commun appartiennent à la même *famille de mots*.

Par exemple, la racine *jour* se retrouve, pure ou altérée, dans les mots :

jour, journal, journalier, journalisme, journée, ajourner, etc.

Les affixes sont les éléments qui s'ajoutent au radical pour en modifier le sens et former ainsi des mots nouveaux. On les divise en deux classes : les *préfixes* (création de mots nouveaux par composition) et les *suffixes* (création de mots nouveaux par dérivation).

✓ **Les préfixes** : on peut former des mots de la même famille en ajoutant avant le radical une particule appelée préfixe :

- Dans ***inhumain***, ***in*** est un préfixe.
- Dans *définir*, ***dé*** est un préfixe.

Les mots formés avec des préfixes font partie des *mots composés*.

Par exemple, les mots ***inhumain***, ***redire***, ***délier*** ou ***relier***, sont des mots composés.

☞ Remarque : les noms composés, formés de la réunion de plusieurs mots autonomes, font aussi partie des mots composés.

Exemples : *chef-lieu, arc-en-ciel, oiseau-mouche, chef d'œuvre, antichambre, contretemps, etc.*

✓ **Les suffixes** : on peut aussi former des mots de la même famille en ajoutant après le radical une particule appelée suffixe :

- Dans *hommage*, ***age*** est un suffixe.
- Dans *définir*, ***ir*** est un suffixe.

Les mots formés avec des suffixes s'appellent des *mots dérivés*.

Par exemple, les mots *enfantin, vigneron, cerisier, éclairage* sont des mots dérivés de *enfant, vigne, cerise, éclair* (notez aussi que dans *éclair*, *é* est un préfixe).

2.5. Homonymes, paronymes, synonymes et antonymes

a) **Homonymes** : on appelle homonymes les mots qui ont à peu près la même prononciation mais pas le même sens, ni généralement la même orthographe. Ce sont donc des mots semblables par le son mais différents par le sens. Citons quelques exemples courants :

- *amande* et *amende*
- *eau*, *haut*, *os*
- *ou, où, août, houe, houx*
- *saut, sceau, seau, sot*.

b) **Paronymes** : on appelle paronymes des mots qui ne se prononcent pas exactement de la même manière, mais qui ont une certaine ressemblance de son, quoiqu'ils n'aient pas le même sens. Voici quelques exemples :

- *vénéneux, venimeux*
- *éruption, irruption*
- *colorer, colorier*
- *carnassier, carnivore*.

c) **Synonymes** : on appelle synonymes des mots qui se rapprochent beaucoup par la signification. Cependant, ces mots n'ont jamais tout à fait le même sens et on ne peut donc pas les employer indifféremment les uns pour les autres.

Il convient de distinguer :

✓ les synonymes qui ont une racine commune et un sens voisin :

Exemples :

- *plier, ployer*
- *nom, renom*

• *plaire, complaire*

• *jour, journée.*

✓ les synonymes qui n'ont pas la même racine, mais qui expriment des idées très proches.

Exemples :

• *alimenter, nourrir, sustenter*

• *peur, frayeur*

• *découvrir, trouver, inventer*

• *placement, investissement, mise de fonds.*

d) Antonymes : on appelle antonymes les mots de sens opposé :

Exemples :

• *courage, lâcheté*

• *monter, descendre.*

3. Lettres, sons et prononciation

3.1. Classification des lettres

La langue française se prononce à l'aide de **sons** ; les mots sont formés d'un ou plusieurs sons, représentés par des signes appelés **lettres**.

L'**alphabet** français compte **26 lettres** :

a, b, c, d, e, f, g, h, i, j, k, l, m,
n, o, p, q, r, s, t, u, v, w, x, y, z.

Il existe deux catégories de lettres : les **voyelles** et les **consonnes**. Il existe :

• 6 voyelles : *a, e, i, o, u, y.*

Les voyelles peuvent se prononcer sans le secours d'aucune autres, c'est-à-dire qu'elles forment un son par elles -mêmes.

*Exemples : **a** dans **a**mour, **i** dans **i**ris.*

• 20 consonnes :

b, c, d, f, g, h, j, k, l, m, n, p, q, r, s, t, v, w, x, z.

Les consonnes ne peuvent former un son qu'avec l'aide d'une voyelle :

ta-ble, mon-ta-gne, or-di-na-teur.

3.2. Les voyelles

a) Voyelles brèves et voyelles longues

Toutes les voyelles peuvent être **brèves** (le son est rapide) ou **longues** (leur son est prononcé plus lentement) :

*-a bref : p**a**tte*	*-a long : p**â**te*
*-e bref : j**e**t*	*-e long : b**ê**te*
*-i bref : p**i**le*	*-i long : g**î**te*
*-o bref : p**o**t*	*-a long : c**ô**te*
*-u bref : v**u***	*-u long : fl**û**te*

b) Voyelles simples et voyelles composées

✓ **Les voyelles simples** : ***a, e, i, o, u, y*** sont formées par une seule lettre :

***a** dans l**a**pin ou dans **a**mi.*

• **La voyelle simple -*e***

Il existe trois sortes d'*-e* :

— **L'-*e* muet** se prononce à peine, comme dans les mots :

*tabl**e**, natt**e**, port**e**, ros**e**, jonquill**e**.*

— **L'-*e* fermé** se prononce la bouche presque fermée, comme dans les mots :

*th**é**, caf**é**, v**é**rit**é**, n**e**z, coch**e**r.*

— l'***-e* ouvert** se prononce la bouche plus ouverte, comme dans :

père, mère, terre, succès, mer.

• **La voyelle -*y***

— L'***-y***, lorsqu'il est à l'intérieur d'un mot et qu'il est précédé d'une autre voyelle, se prononce comme deux ***-i***.

Ainsi, les mots : ***pays, doyen, joyeux***, ***citoyen***, se prononcent *[pai-is], [doi-ien], [joi-ieu], [citoi-ien].*

— Dans tous les autres cas, l'*-y* se prononce comme un simple ***-i***, comme dans ***analyse, jury, style***, etc.

✓ **Les voyelles composées** sont formées de plusieurs lettres qui produisent un son unique. Par exemple, dans les mots :

beau, eau, tuyau, épaule, loup, laine, peine, beurre, balai, palais,

les voyelles composées composées *-eau, -au, -ou, -ai, -ei, -eu, -ai* forment un son unique.

☞ Remarque : les voyelles composées peuvent être brèves ou longues, comme dans les mots :

jeune (-eu bref) et jeûne (-eû long),
boule (-ou bref) et voûte (-oû long).

c) Diphtongues

On appelle diphtongue la réunion de deux ou troix voyelles qui se prononcent en une seule émission de voix, mais font entendre deux sons distincts :

*-ia dans **diable**, -iai dans **biais**, -ie dans **ciel**, -ieu dans **pieu**, -oui dans **oui**, -oi dans **toile**, -ui dans **luire**, -ai dans **ail**, -oe dans **poêle**, etc.*

d) Voyelles nasales

Une voyelle est dite nasale lorsqu'elle est prononcée en

partie avec le nez.

Les voyelles (simples ou composées) et les diphtongues deviennent nasales lorsqu'elles sont suivies des consonnes ***-m*** ou ***-n*** ; la consonne, en se prononçant en même temps que la voyelle, lui donne alors une résonnance nasale.

C'est le cas lorsqu'une voyelle est suivie de deux consonnes dont la première est ***-m*** ou ***-n*** :

tomber, monter, amiante, viande, etc.

De même, lorsque ***-m*** ou ***-n*** terminent le mot, la voyelle est dite nasale :

bain, pain, rein, chien, loin, un, parfum, etc.

3.3. Les consonnes

Les consonnes sont classées en trois catégories, correspondant aux différentes manières de les prononcer et aux organes de la bouche qui servent à les articuler :

• **Les labiales** sont formées par le mouvement des lèvres : il s'agit des consonnes ***-b***, ***-f***, ***-m***, ***-p***, ***-v***, comme dans :

bain, femme, masque, papa, voile, etc.

• **Les dentales** sont prononcées par l'appui de la langue contre les dents : ***-d***, ***-l***, ***-n***, ***-s***, ***-t***, ***-z***, comme dans :

dent, nuit, suie, tige, zèbre.

• **Les palatales** se prononcent du palais : ***-c***, ***-g***, ***-j***, ***-k***, ***-q***, ***-r***, comme dans :

cale, garde, koala, quille, rite.

☞ Remarques

• La lettre ***-x*** est une consonne double qui se prononce ***-cs*** ou ***-gz***, comme dans *luxe* ou *exemple*.

• ***-w*** a soit le son d'un ***-v***, comme dans *wagon*, soit le son ***-ou***, comme dans *whisky*.

• La consonne ***-h*** est **muette** ou **aspirée** :

—L'*-h* est muette lorsqu'elle ne se prononce pas et qu'elle n'empêche pas la liaison :

L'homme, les hommes.
(l'*-h* ne s'entend pas et le *-s* de *les* se lie avec *hommes*)

— L'*-h* est aspirée lorsque, au début d'un mot, elle se prononce avec une sorte d'aspiration et empêche la liaison avec le mot précédent :

Le héros, les héros.
(l'*-h* est aspirée et le *-s* de *les* ne se lie pas avec *héros*)

• ***-l*** et ***-n*** sont appelés ***-l* mouillée** et ***-n* mouillée** lorsqu'ils produisent un son plus doux et délayé, comme dans : *mantille, bille, agneau.*

Les consonnes se prononcent avec plus ou moins de force et d'intensité. On peut ainsi distinguer les **consonnes fortes** (comme ***-p***, ***-t***, ***-q***, ***-f***, ***-r***) des **consonnes douces** (comme ***-d***, ***-b***, ***-z***, ***-j***, ***-v***).

3.4. Éléments de prononciation

a) La syllabe

Une **syllabe** est un son produit par une seule émission de voix. Elle est composée d'une lettre ou d'un groupe de lettres. Des mots comme :

bol, sol, on, grand, etc. ne comportent qu'une seule syllabe : ils sont **monosyllabes**.

Les mot : *table, chanson, pantalon, lèvre,* etc. sont **polysyllabes** car ils comportent plusieurs syllabes.

☞ Remarque : dans l'écriture, on peut couper un mot d'une ligne à l'autre en séparant les syllabes, mais on ne peut pas séparer les lettres d'une même syllabe.

Par exemple, on pourra couper les mots :

histoire, fonction, district, manège,

de la façon suivante :

his-toire, fonc-tion, dis-trict, ma-nè-ge.

b) Prononciation des lettres et des syllabes

Dans la prononciation des lettres et des syllabes, on peut différencier la **sonorité**, la **quantité** et la **tonalité**.

✓ **La sonorité** : les voyelles et les consonnes sont **sonores** ou **muettes** :

• Les lettres sont sonores lorsqu'on les prononce à l'intérieur du mot, comme le ***-a*** de *b**a**gage, **a**rme, b**a**gue* ou le ***-r*** de *ba**r**, hive**r**, cance**r**.*

• En revanche, l'-e muet se prononce à peine ou pas du tout dans : *femm**e**, mond**e**, bagag**e**, sci**e**ri**e**, berg**e**ri**e**, etc,* et les consonnes finales peuvent aussi être muettes, comme dans les mots : *taba**c**, plom**b**, gourman**d**, pie**d**, lou**p**, abu**s**, alphabe**t**, ticke**t**, débu**t**, ri**z**, etc.*

✓ **La quantité :** les voyelles et les syllabes peuvent être **longues** ou **brèves** (voir § 3.2 p. 21 de ce chapitre).

✓ **La tonalité ou accent tonique :** en français, dans tous les mots polysyllabes (qui comportent plusieurs syllabes), une syllabe est prononcée avec plus d'intensité que les autres. Elle est dite **tonique** car elle porte l'**accent tonique**. Les autres syllabes sont dites **atones**, car elle sont prononcées avec moins de force.

<u>Règle générale de l'accent tonique</u> : l'accent tonique porte sur la dernière syllabe du mot quand elle sonore ; quand elle est muette, il est reporté sur l'avant-dernière syllabe : *mar**ché**, méchance**té**, **mè**re, **ta**ble.*

Toutefois, cette règle comporte de nombreuses exceptions. Par exemples, de nombreux articles, prépositions et conjonctions monosyllabiques s'effacent entre les mots qu'ils précèdent ou unissent :

*Tu viend**ras** un **soir** pour dî**ner** avec **nous**.*

c) Liaison et élision

✓ **Liaison** :

• les consonnes finales sont muettes devant un mot commençant par une consonne : *un grand cheval.*

• Les consonnes finales se prononcent devant un mot commençant par une voyelle ou une *-h* muette, de façon obligatoire lorsque les mots sont unis par le sens et de façon facultative lorsque lorsque le lien du sens est moins évident : *un grand homme.*

• La liaison est obligatoire :

— dans beaucoup de mots composés :
arc-en-ciel, vis-à-vis, ver-à-soie.

— entre le déterminant ou l'adjectif et le nom :
Un bon ami, un faux ami, chers enfants, les hommes, les ennemis, cent ans.

— entre le pronom et le verbe :
Ils entendent, je les entends.

— entre le verbe *être* et le mot suivant :
Elle est émue, elle est en pleurs.

— entre l'adverbe et le mot qu'il modifie :
trop encombrant, très intéressant.

— entre la préposition et le mot suivant :
dans un moment.

✘ Attention : il ne faut pas faire de liaison :

• après la conjonction ***et*** : *un frère **et** une sœur.*

• après un nom terminé par une consonne muette : *un succès **indéniable**, un début **immédiat**, un nez **aquilin**.*

✓ **Elision** : c'est la suppression de la voyelle finale d'un mot lorsque le mot qui suit commence par une voyelle ; la voyelle supprimée est alors remplacée par une apostrophe.

Les voyelles élidées sont ***-a***, ***-e***, ***-i*** :

*l'**a**mour – l'idée – quel**qu'un** – l'ennemi, je **l'ai** vu.*

*J'espérais **qu'il** viendrait.*

*Je ne sais pas **s'il** saura répondre.*

✗ Attention : il n'y a pas d'élision devant les mots : *onze, onzième, ouate, oui* et le chiffre *un*.

3.5. Accents et signes orthographiques

Les accents et les signes orthographiques modifient la prononciation.

✓ **Les accents**

• **L'accent aigu** se met sur la voyelle *-e* et indique un *-é* fermé, comme dans : *fermeté, café, thé.*

• **L'accent grave** se met sur la voyelle *-e* et indique un *-è* ouvert, comme dans : *procès, succès, accès.*

• **L'accent circonflexe** se met sur les voyelles *-a, -e, -i, -o, -u* et indique que la voyelle est longue, comme dans : *tempête, pâte, bâche, château, flûte.*

✗ Attention :

• L'emploi des accents n'est pas unifié : l'accent aigu et l'accent grave n'est pas toujours nécessaire pour former le ***-e*** ouvert ou fermé :

— le ***-e* ouvert** peut être donné par *-è, (mère),*

-ê (fête), -ë (Noël), -e (bec, pelle).

— le ***-e* fermé** peut être donné par *-é, (café), -e (aimer) -et (béret), -ai (quai).*

• Les accents sont aussi utilisés pour différencier des homonymes, comme ***ou*** et ***où***, ***a*** et ***à***, ***sur*** et ***sûr***, etc.

✓ Les signes orthographiques

• **Le tréma**, formé de deux points, est un signe placé sur les voyelles *-e, -i, -u,* pour indiquer qu'il faut, en les prononçant, les séparer de la voyelle qui précède, comme dans : *haïr, ciguë, maïs.*

• **La cédille** est un signe placé sous le ***-ç*** pour indiquer que l'on doit le prononcer comme une *-s* devant les voyelles *-a, -o, -u* : *façade, soupçon, reçu.*

• **L'apostrophe** est un signe qui indique le retranchement de l'une des trois voyelles *-a, -e, -i* :

L'abeille (pour la abeille), s'il vient (pour si il vient), l'éléphant (pour le éléphant).

• **Le trait d'union** se met entre deux mots joints ensemble pour marquer qu'ils n'en font qu'un :

Chef-d'œuvre, chef-lieu, basse-cour avant-coureur.

CHAPITRE 2

LE VERBE

1. Définition du verbe

Le **verbe** est un mot qui marque l'existence, l'état, la manière d'être d'un sujet ou bien l'action que fait ou subit le sujet :

L'enfant court.

L'oiseau vole.

Il permet aussi de relier *l'attribut* au *sujet* :

Le ciel est bleu.

Ainsi quand je dis :

Le ciel est bleu,

le mot *est* est un verbe, parce qu'il affirme que le *ciel* est dans l'état exprimé par l'adjectif *bleu*.

De même, dans :

L'enfant court,

le mot *court* est un verbe, parce qu'il affirme que *l'enfant* fait l'action de *courir*.

2. Catégories de verbes

2.1. Verbes d'état et verbes d'action

Les transports en commun sont utiles.

Dans cette phrase, le mot *sont* est un ***verbe*** ; le mot *transports* est ***sujet*** ; le mot *utiles* est ***attribut***.

a) Verbes d'état (ou attributifs)

• On appelle ***sujet*** le mot représentant la personne ou la chose qui est ou fait quelque chose. Le sujet peut être un nom, un pronom, un infinitif ou un autre mot employé comme nom.

☞ Remarque : pour trouver le sujet d'un verbe dans une phrase, il suffit de poser devant ce verbe la question : *qui est-ce qui ?*

Caroline chante. Qui est-ce qui chante ? Caroline.

• On appelle ***attribut*** le mot ou l'expression indiquant la qualité attribuée à une personne, un animal ou une chose sujet du verbe, qu'il précise et complète.

Cet homme est content.

Dans cet exemple, le mot *content* est attribut du sujet *homme*.

L'attribut peut être un nom, un pronom, un adjectif, un verbe (infinitif ou participe) ou un mot invariable.

✘ Attention à la règle d'accord de l'attribut ; lorsqu'il s'agit d'un mot variable, il s'accorde en genre et en nombre avec le sujet auquel il se rapporte :

*Ces hommes sont content**s**.*

*La lumière est allumé**e**.*

L'attribut est en général relié au sujet par le verbe *être*. En effet, le verbe *être* est l'un des rares verbes qui joignent ainsi le sujet à l'attribut.

Cependant, d'autres verbes, qui possèdent en partie le sens du verbe *être* et que l'on appelle ***verbes attributifs***, se complètent eux aussi par un attribut sur le modèle du verbe *être*. Il s'agit de verbes tels que *sembler, paraître, devenir, rester, demeurer, etc*.

Cet homme paraît en colère.

b) Verbes d'action

Les autres verbes renferment à la fois le verbe et la qualité attribué au sujet :

Hervé chante, c'est-à-dire *Hervé est « chantant »* (le verbe *chanter* indique la qualité attribuée au sujet *Hervé*.

Le sujet *Hervé* fait l'action de *chanter*.

Ces verbes sont appelés ***verbes d'action***.

2.2. Verbes transitifs et intransitifs

a) Verbes transitifs

Les ***verbes transitifs*** (du latin ***transire***, *passer)* expriment une action qui passe du sujet sur un objet (une personne ou une chose) :

Jean-Claude mange ***un gâteau***.

Dans cet exemple, *Jean-Claude* fait l'action de manger, et son action passe sur le *gâteau* qui la reçoit : le verbe *manger* est un verbe transitif.

On reconnaît qu'un verbe est transitif lorsqu'on peut mettre *quelqu'un* ou *quelque chose* après ce verbe : par exemple, les verbes *aimer* et *lire* sont des verbes transitifs parce qu'on peut dire :

J'aime ***quelqu'un***. *Je lis* ***quelque chose***.

✓ Verbes transitifs directs

Les *verbes transitifs directs* se construisent avec un complément d'objet direct : l'objet est directement relié au verbe, sans l'intermédiaire d'une préposition ; le complément subit directement l'action :

*Camille raconte **une histoire**.*

Histoire exprime ici l'objet de l'action indiqué par *raconte*. *Histoire* est donc *complément d'objet direct*, c'est-à-dire le mot sur lequel porte directement l'action exprimée par le verbe *raconte*.

☞ Remarque : pour trouver le complément d'objet direct dans une phrase, il suffit de poser après le verbe la question : *qui ?* ou *quoi ?* pour trouver l'objet de l'action :

Camille raconte quoi ? une histoire. Histoire est complément d'objet direct.

✘ Attention : il ne faut pas confondre le *complément d'objet direct* et *l'attribut*. Le complément d'objet direct représente une personne ou une chose distincte du sujet.

Dans la phrase : *Jean-Claude mange un gâteau*, le sujet *Jean-Claude* et le complément d'objet direct *gâteau* sont différents l'un de l'autre.

Dans la phrase : *Jean-Claude est gourmand*, l'attribut *gourmand* désigne la même personne que le sujet *Jean-Claude*.

✓ Verbes transitifs indirects

Les *verbes transitifs indirects* se construisent avec un complément d'objet indirect : l'objet est indirectement relié au verbe par l'intermédiaire d'une préposition. Il complète la signification du verbe par un moyen indirect, en utilisant des prépositions telles que *à*, *de*, *par*, etc.

Il a succédé à son père à la direction de l'entreprise.

Ce chien n'obéit pas souvent à son maître !

☞ Remarque : dans une phrase, on reconnaît le complément d'objet indirect en posant après le verbe la question : à *qui ?* ou *à quoi ?*, *de qui ?* ou *de quoi ?*, *par qui ?* ou *par quoi ?*, *pour qui ?* ou *pour quoi ?*, etc.

Je doute de ses chances de réussir. — Je doute de quoi ? Réponse : *de ses chances de réussir.* Le complément est ici un complément d'objet indirect.

✘ Attention : certains verbes transitifs directs peuvent avoir deux compléments à la fois, un complément d'objet direct et un complément d'objet indirect :

Pauline a offert ce livre à son frère. — Dans cet exemple, *ce livre* est complément d'objet direct ; *à son frère* est complément d'objet indirect, appelé complément d'objet second.

Donne-moi ce disque. — Donne à qui ? Réponse : *à moi*. L'action de *donner* aboutit à *à moi*. *Moi* est un complément d'objet indirect (second) parce qu'il signifie en réalité *à moi* ; *disque* est le complément d'objet direct de cette phrase.

b) Verbes intransitifs

Les verbes intransitifs expriment **l'état** du sujet ou une **action faite par le sujet**. Ils n'ont pas de complément d'objet car ils expriment une action qui ne sort pas du sujet :

L'enfant dort. – L'homme marche.

☞ Remarque : on sait qu'un verbe est intransitif lorsqu'on ne peut pas écrire après lui *quelqu'un* ou *quelque chose*. Par exemple, *dormir* et *marcher* sont des verbes intransitifs parce qu'on ne pas dire : *je dors quelqu'un*, ou *je marche quelque chose*.

Les principaux verbes intransitifs sont :

- les verbes *être* ou *exister* ;
- des verbes d'état : *paraître, sembler, devenir, rester, ...*
- des verbes indiquant les différentes étapes d'une évolution : *naître, grandir, vieillir, mourir, germer, ...*
- des verbes de mouvement : *aller, venir, partir, etc.*

✘ Attention : un même verbe peut être employé transitivement ou intransitivement, c'est-à-dire qu'il peut avoir ou ne pas avoir de complément d'objet :

Je mange du pain. — *manger* est un verbe transitif.
Je mange. — Notez l'emploi intransitif de *manger*.

2.3. Verbes pronominaux

Les ***verbes pronominaux*** sont des verbes qui se conjugent avec deux pronoms de la même personne, dont le premier est sujet et le second complément. Le complément et le sujet représentent le même être ou le même objet. A l'infinitif, ces verbes prennent le pronom *se* :

se laver : je me lave. — s'enfuir : il s'enfuit.
se disputer : ils se disputent.

a) On appelle ***verbes essentiellement pronominaux*** ceux qui ne se rencontrent qu'à la forme pronominale, comme *s'évanouir*, *s'enfuir*, *s'écrier*, etc.

b) Les verbes pronominaux peuvent être des verbes transitifs ou intransitifs :

✓ Dans *il s'enfuit*, *il s'endort*, ou *il se doute de quelque chose*, le pronom *se* représente le sujet mais ce dernier ne subit pas l'action ; le verbe est donc intransitif.

✓ Dans *je me blesse*, le sujet fait l'action indiquée par le verbe et la subit en même temps dans le pronom qui le représente ; le verbe est transitif.

Les verbes pronominaux transitifs sont aussi appelés **verbes pronominaux réfléchis**, car l'action revient sur le sujet :

Je me coiffe. – Il se blesse.
Nous nous regardons dans la glace.

c) Les verbes pronominaux sont **réciproques** lorsqu'ils indiquent une action que deux ou plusieurs sujet font l'un sur l'autre :

Lucie et Paul se sourient. – Nous nous disputons.
Ils s'entraident.

d) Les verbes pronominaux sont parfois équivalents à un **verbe passif** :

Cette maison s'est construite très vite.

2.4. Verbes impersonnels

Certains verbes intransitifs n'utilisent pas les trois personnes et sont appelés ***verbes impersonnels***.

Les verbes impersonnels ne s'emploient dans chaque temps qu'à la troisième personne du singulier. Ils ont pour sujet le pronom neutre *il*, qui ne tient ni la place d'un nom de personne, ni celle d'un nom de chose.

Dans l'exemple, *il fait froid*, on ne peut remplacer le pronom *il* ni par un nom de personne, ni par un nom de chose ; il s'agit donc d'un verbe impersonnel.

✓ Les verbes impersonnels sont des verbes qui expriment des phénomènes naturels, comme dans les exemples :

Il pleut. – Il tonne. – Il neige.

✓ D'autres verbes, comme *il faut, il y a*, sont également considérés comme des verbes impersonnels :

Il y a beaucoup de monde dehors ce soir.

☞ Remarque : certains verbes peuvent être employés occasionnellement comme verbes impersonnels :

Par exemple : *avoir*, *être*, *tomber*, *faire*, *convenir*, sont impersonnels dans les phrases listées ci-après.

- *Il fait du vent.*
- *Il est arrivé un malheur.*
- *Il est possible de mener à bien cette mission.*
- *Il tombe de la grêle.*
- *Il y aura une grande foule pour son arrivée.*

Dans ces exemples, le pronom indéterminé *il* n'est qu'un sujet apparent placé devant le verbe, le sujet véritable étant placé avant ou après le verbe. *Il*, sujet apparent, tient la place des véritables sujets *malheur, mener, grêle, grande foule*. Ainsi :

- *Il est arrivé un malheur.* équivaut à :
  Un malheur est arrivé.
- *Il est possible de mener à bien cette mission.* équivaut à : *Mener à bien cette mission est possible.*
- *Il tombe de la grêle.* équivaut à : *De la grêle tombe.*
- *Il y aura une grande foule pour son arrivée.* équivaut à : *Une grande foule sera (là) pour son arrivée.*

3. Voix

Les **voix** sont les différentes formes que prend le verbe suivant que le **sujet fait l'action**, **la subit**, ou **la fait et la subit** en même temps.

3.1. Voix active

Le verbe à la voix active exprime une action faite par le sujet. Les verbes à la voix active sont transitifs ou intransitifs.

Jean écrit une lettre.

Dans cet exemple, l'action d'*écrire* est faite par le sujet *Jean*, qui joue un rôle actif. On dit que le verbe *écrit* est à la forme active.

3.2. Voix passive

Un verbe est à la **voix passive** quand il exprime une action subie, supportée par le sujet. Tout verbe transitif peut être employée à la voix passive à la condition qu'il ait un complément d'objet direct.

Cette lettre a été écrite par Jean.

Dans cet exemple, le complément du verbe à la voix active, *lettre*, est devenu le sujet du verbe à la voix passive.

Le verbe à la voix passive est formé par le verbe *être*, suivi d'un participe passé employé comme adjectif, qui s'accorde en genre et en nombre avec le sujet.

Catherine aime Jean. – Jean est aimé de Catherine.

☞ Remarque : nous avons vu que seuls les verbes *transitifs directs* pouvaient se mettre à la voix passive. Il existe quelques exceptions (dues à leur ancienne construction) à cette règle, comme les verbes *obéir, désobéir* ou *pardonner*.
Vous serez obéi. – Tu es pardonné.

4. Nombres et personnes

4.1. Nombres

Il y a ***deux nombres*** dans les verbes : le ***singulier*** et le *pluriel*.

• Au singulier : *je lis, tu manges, il ou elle lit*.

• Au pluriel : *nous lisons, vous mangez, ils ou elles lisent*.

4.2. Personnes

L'action ou l'état exprimée par le verbe peut être faite :

✓ soit par la personne qui parle ;

✓ soit par la personne à qui l'on parle ;

✓ soit par la personne de qui on parle .

Il y a donc trois personnes dans les verbes :

✓ 1re personne : *je suis* ; *nous sommes* ;

✓ 2e personne : *tu es* ; *vous êtes* ;

✓ 3e personne : *il est* ; *ils sont*.

5. Modes et temps

5.1. Modes

a) Définition des modes

Le mode est la **manière dont le verbe présente l'état, l'existence ou l'action qu'il exprime**.

1) Paul chante.
2) Je doute que Paul sache chanter.
3) Chante !

Dans ces trois phrases, l'idée de *chanter* est présentée

de différentes manières. Dans la phrase *1)*, l'action de *chanter* est présentée comme un fait certain ; dans la phrase *2)* l'action est incertaine et dépend du verbe *douter* ; dans la phrase *3)* il s'agit d'un ordre. Ce sont les différents modes du verbe qui permettent de présenter l'action de plusieurs manières.

b) Présentation des six modes

Il existe 6 modes en français, classés en deux catégories : les ***modes personnels*** et les ***modes impersonnels***.

✓ les modes personnels

Les *modes personnels* possèdent des désinences particulières pour les personnes du singulier et du pluriel (*je chante*, *tu chantes*, etc.).

Il existe quatre modes personnels : ***l'indicatif***, ***l'impératif***, ***le conditionnel*** et ***le subjonctif***.

• *L'indicatif* présente l'action comme un fait certain qui a lieu, qui a eu lieu ou qui aura lieu :

Je dors. – Tu as travaillé. – Il travaillera.

• L'impératif énonce un ordre ou un exhortation.

Lisez ! – Ecoutez !

• *Le conditionnel* indique qu'une action pourrait avoir lieu si une *condition*, exprimée ou sous-entendue, était remplie.

S'il faisait beau, je sortirais.

• *Le subjonctif* présente l'action comme incertaine, parce qu'elle dépend d'une autre action (un souhait ou une volonté par exemple).

Je souhaite qu'il réussisse.

✓ les modes impersonnels

Les modes impersonnels n'ont qu'une désinence pour

les trois personnes.

• *L'infinitif* présente l'action de manière générale et vague, sans distinction de personne ni de nombre.

Apprendre est possible à tout âge.

• Le participe tient en même temps du verbe et de l'adjectif. Il a deux temps, le présent et le passé.

Présent : *lisant (actif), étant lu(e) (passif).*

Passé : *lu(e), ayant lu (actif), ayant été lu(e) (passif).*

5.2. Temps

Les temps d'un verbe sont les différentes formes que prend le verbe pour indiquer à quel moment se déroule l'action dont on parle.

Prenons l'exemple suivant : *j'ai joué, je joue, je jouerai*. Le verbe *jouer*, prend des terminaisons différentes pour indiquer le temps où s'est déroulée l'action.

Il existe **trois temps principaux : *le présent*** (l'action se fait*), **le passé*** (l'action s'est faite) **et *le futur*** (l'action se fera).

a) Le présent

Il indique qu'une action se fait au moment où l'on parle. Le présent n'a qu'une forme.

Je parle. – Tu manges – Il lit.

b) Le passé

Le passé indique que l'action s'est faite dans le passé, c'est-à-dire avant le moment où l'on parle.

Hier, j'ai lu un livre.

Le passé comporte **cinq degrés d'antériorité**, qui correspondent à **cinq temps** :

✓ L'imparfait : ***Je lisais*** *quand il est entré.*

✓ Le passé simple : ***Elle lut*** *tout le livre.*

✓ Le passé composé : ***J'ai lu*** *ce livre.*

✓ Le passé antérieur : *Lorsque* ***j'eus fini*** *ma lecture, je sortis.*

✓ Le plus-que-parfait : ***J'avais lu*** *ce livre lorsqu'il m'en a parlé.*

c) Le futur

Le *futur* indique qu'une action se fera dans le futur, c'est-à-dire après le moment où l'on parle.

Demain, je lirai un livre.

Le futur comporte **deux degrés de postériorité**, qui correspondent à **deux temps** :

✓ Le futur : ***Je travaillerai*** *demain.*

✓ Le futur antérieur : ***J'aurai fini*** *de travailler quand tu arriveras.*

☞ Remarque : notez ces forme du futur dans le passé :

Je pensais que ***tu travaillerais****.* (conditionnel présent employé dans le sens d'un futur passé.)

Je pensais que ***tu aurais fini*** *de travailler avant mon arrivée.* (conditionnel passé employé dans le sens d'un futur antérieur passé)

N.B. — L'utilisation des modes et des temps est détaillée dans le CHAPITRE 11. LA PHRASE, § 4.3. Propositions subordonnées (p. 290) et § 6. Concordance des temps (p. 306).

5.3. Temps simples et temps composés

a) Temps simples

Je travaille. – Je travaillais.

Ces deux verbes sont conjugués à des temps simples, c'est-à-dire qu'ils sont formés d'un seul mot.

b) Temps composés

J'ai travaillé. – Vous avez travaillé.

Ces deux verbes sont conjugués à des temps composés : ils sont formés, comme dans le premier cas, du radical du verbe et de la terminaison *-é*, mais ils comportent aussi un autre élément, le verbe *avoir*, qui intervient dans la conjugaison des temps passés.

De même, dans : *tu es arrivé*, le verbe *être* sert à conjuguer le verbe *arriver*.

✘ Attention : **à la voix passive**, le participe passé passif des verbes, ainsi que les verbes conjugués au temps du passif et construits à l'aide de ce même participe passé passif, doivent indiquer le genre (c'est-à-dire le masculin ou le féminin) du sujet :

Il est soigné. – Elle sera soignée.

c) Verbes auxiliaires

• Le verbe ***être*** et le verbe ***avoir*** sont appelés **verbes auxiliaires** lorsqu'ils participent à la conjugaison des autres verbes.

Ils perdent la signification qui leur est propre, celle de *possession* pour le verbe *avoir* et celle *d'existence* pour le verbe *être*, et sont exclusivement employés pour indiquer le temps du verbe.

✘ Attention : il convient de bien différencier les utilisations du verbe *avoir* et du verbe *être*.

1) J'ai écouté la radio – Elle est allée au cinéma.

2) J'ai une radio. – Elle est fatiguée.

Dans les exemples *1)* les verbes *avoir* et *être* sont des verbes auxiliaires qui participent à la formation des temps composés.

En revanche, ils ne sont plus auxiliaires dans les exemples *2)* : le verbe *avoir* marque alors la possession et le verbe *être* marque l'existence.

d) D'autres verbes, tels que ***aller***, ***devoir***, ***falloir***, ***faire***, ***laisser***, ***venir de***, peuvent aussi être employés comme des auxiliaires :

Il doit venir ce soir. (probabilité ou obligation selon le contexte)

Il va partir. (futur proche)

Tu as laissé tomber un paquet. (fait fortuit)

Nous venons d'arriver. (passé récent)

Dans les exemples ci-dessus, ces verbes, construits avec un infinitif, forment des locutions verbales qui donnent des précisions sur les modes ou le déroulement de l'action.

5.4. Les temps dans les modes

a) Le mode indicatif regroupe huit temps :

- le présent : *je parle ;*
- l'imparfait : *je parlais* ;
- le passé simple : *je parlai* ;
- le passé composé : *j'ai parlé* ;
- le passé antérieur : *j'eus parlé* ;
- le plus-que-parfait : *j'avais parlé* ;
- le futur : *je parlerai* ;
- le futur antérieur : *j'aurai parlé.*

b) Le mode conditionnel possède trois temps :

– le présent : *je parlerais* ;

– le passé 1re forme : *j'aurais chanté*.

– le passé 2e forme : *j'eusse chanté*.

c) Le mode impératif a deux temps :

– le présent : *parle* ; le passé (peu usité) : *aie parlé*.

d) Le mode subjonctif possède quatre temps :

– le présent : *que je parle* ;

– l'imparfait : *que je chantasse ;*

– le passé : *que j'aie chanté* ;

– le plus-que-parfait : *que j'eusse chanté*.

e) Le mode infinitif a trois temps :

– le présent : *parler* ;

– le passé : *avoir parlé* ;

– le futur (peu usité) : *devoir parler*.

f) Le mode participe a trois temps :

– présent : *parlant* ;

– passé : *parlé*, *ayant parlé* ;

– futur (peu usité) : *devant parler*.

6. Composition verbale et conjugaison

6.1. Composition du verbe

Le verbe est formé du **radical** et de la **terminaison**.

*J'aime – j'aim**ais** – j'aim**erai***

Dans ces exemples, une partie du verbe *aimer* ne change pas (du moins très rarement, et seulement dans certains cas de verbes irréguliers que nous étudierons ultérieurement) et reste commune à tous les temps : cette partie commune, *aim*, constitue le **radical** du verbe. Il indique l'idée exprimée par le verbe.

En revanche, la partie qui termine ce verbe change (*-e, -ais, -erai*) : elle varie suivant le mode, le temps, le nombre et la personne. C'est la **terminaison**.

manger – radical : *mang* ; terminaison : *er*.

partir – radical : *part* ; terminaison : *ir*.

pouvoir – radical : *pouv* ; terminaison : *oir*.

Pour savoir comment s'écrit un verbe placé à l'intérieur d'une phrase, il faut connaître sa terminaison pour chaque personne, chaque nombre, chaque temps et chaque mode. Conjuguer un verbe, c'est ajouter à son radical les terminaisons adéquates.

Je mange – 1re personne du singulier du présent du mode indicatif.

*Nous mang**erons*** – 1re personne du pluriel du futur du mode indicatif.

6.2. Conjugaison

La **conjugaison** constitue l'ensemble des formes que peut prendre un verbe aux différents temps et aux différents modes.

Tous les verbes ne se conjuguent pas de la même manière. On peut distinguer en français **trois groupes** de conjugaisons, que l'on différencie par :

— la terminaison du verbe à l'infinitif présent :

✓ **Le 1er groupe** comprend les verbes terminés en ***-er*** à l'infinitif et en ***-e*** à la première personne de l'indicatif présent (sauf le verbe *aller*, du 3e groupe).

Ce groupe est le plus régulier car le radical des verbes qui en font partie n'est pas modifié par la conjugaison.

*Exemple : dans**er** – je dans**e**.*

✓ **Le 2e groupe** comprend les verbes terminés en ***-ir*** à l'infinitif, en ***-is*** au présent de l'indicatif, en ***-issant*** au participe présent.

*Exemple : fin**ir** – tu fin**is** – fin**issant**.*

✓ **Le 3e groupe** comprend tous les autres verbes :

• les verbes terminés en ***-ir*** à l'infinitif, en ***-ant*** (et non en ***-issant***) au participe présent.

*Exemple : sent**ir** – sent**ant***

• les verbes terminés en ***-oir*** à l'infinitif.

*Exemple : recev**oir**.*

• les verbes terminés en ***-re*** à l'infinitif.

*Exemple : rend**re**.*

☞ Remarque :le français compte environ :

– 4 000 verbes qui se terminent en ***-er*** (type *chanter*) ;

– 300 verbes qui se terminent en ***-ir*** et dont le participe passé est en ***-issant*** *(type finir)* ;

– une trentaine de verbes en ***-ir*** dont le participe passé est en ***-ant*** (et non en ***-issant***) *type sentir*, une quinzaine de verbes en ***-oir*** *(type recevoir)* et une cinquantaine de verbes en ***-re*** *(type croire)*.

Les deux premières conjugaisons sont les plus importantes ; elles sont appelées conjugaisons *vivantes*, car elles servent à former des verbes nouveaux. Le français crée des verbes à l'aide des noms et des adjectifs : les verbes en ***-er*** s'augmentent des verbes formés avec les noms *(téléphone, téléphoner — fax, faxer)*, tandis que les verbes en ***-ir*** *(type finir)* s'augmentent avec les verbes nouveaux formés avec des adjectifs *(pâle, pâlir, — maigre, maigrir)*. Au contraire, les verbes en ***-ir*** *(type sentir)*, en ***-oir*** et en ***-re*** ne s'augmentent pas de verbes nouveaux depuis l'origine de la langue : c'est pourquoi les conjugaisons de ces trois dernières catégories de verbes sont appelées *conjugaisons mortes*.

6.3. Modèles de conjugaison

a) Conjugaison du verbe AVOIR

(voir tableau 1 page 49).

☞ Remarques sur la conjugaison du verbe AVOIR :

• A chaque temps, on trouve des lettres finales invariables (c'est-à-dire qui ne changent pas) :

— Singulier : ***-s*** à la 2e personne : *tu as — tu avais* ;

— Pluriel : ***-es*** ou ***-ons*** à la 1re personne : *nous eû**mes** — nous avi**ons*** ; ***-es*** ou ***-ez*** à la 2e personne : *vous eû**tes** — vous av**ez*** ; ***-ont*** ou ***-ent*** à la 3e personne : *ils aur**ont** — ils avai**ent**.*

• La 1re et la 3e personne du singulier ont des finales variables :

— La 1re personne du singulier peut s'écrire avec ***-s*** ou sans ***-s*** : *j'ai, j'avais, j'aurai, j'aurais.*

— La 3e personne du singulier peut s'écrire avec ***-t*** ou sans ***-t*** : *il a — il avait — il aura — il aurait.*

• La 3e personne du singulier du subjonctif imparfait et plus-que-parfait a un ***-t*** et un ***accent circonflexe*** :

*qu' il e**û**t — qu'elle e**û**t eu.*

• A l'impératif, notez les points suivants : il n'y a pas de 1re personne du singulier ; il n'y a pas de 3e personne du singulier et de 3e personne du pluriel ; il n'y a pas de pronom sujet.

• Les formes du *conditionnel présent* sont aussi utilisées comme *futur du passé de l'indicatif.*

• Les formes du conditionnel passé sont aussi utilisées comme *futur antérieur du passé de l'indicatif.*

• Le verbe *avoir,* utilisé en tant qu'auxiliaire, n'a besoin d'aucun autre verbe pour former ses temps composés.

TABLEAU 1 – CONJUGAISON DU VERBE *AVOIR*

MODE INDICATIF

Présent	***Passé composé***
j'ai	j'ai eu
tu as	tu as eu
il a	il a eu
nous avons	nous avons eu
vous avez	vous avez eu
ils ont	ils ont eu

Imparfait	***Plus-que-parfait***
j'avais	j'avais eu
tu avais	tu avais eu
il avait	il avait eu
nous avions	nous avions eu
vous aviez	vous aviez eu
ils avaient	ils avaient eu

Passé simple	***Passé antérieur***
j'eus	j'eus eu
tu eus	tu eus eu
il eut	il eut eu
nous eûmes	nous eûmes eu
vous eûtes	vous eûtes eu
ils eurent	ils eurent eu

Futur simple	***Futur antérieur***
j'aurai	j'aurai eu
tu auras	tu auras eu
il aura	il aura eu
nous aurons	nous aurons eu
vous aurez	vous aurez eu
ils auront	ils auront eu

PARTICIPE

Présent	***Passé***
ayant	eu, eue
	ayant eu

INFINITIF

Présent	***Passé***
avoir	avoir eu

IMPÉRATIF

Présent	***Passé***
aie	aie eu
ayons	ayons eu
ayez	ayez eu

MODE SUBJONCTIF

Présent	***Imparfait***
que ...	que ...
j'aie	j'eusse
tu aies	tu eusses
il ait	il eût
nous ayons	nous eussions
vous ayez	vous eussiez
ils aient	ils eussent

Passé	***Plus-que-parfait***
que ...	que ...
j'aie eu	j'eusse eu
tu aies eu	tu eusses eu
il ait eu	il eût eu
nous ayons eu	nous eussions eu
vous ayez eu	vous eussiez eu
ils aient eu	ils eussent eu

MODE CONDITIONNEL

Présent	***Passé 1re forme***
j'aurais	j'aurais eu
tu aurais	tu aurais eu
il aurait	il aurait eu
nous aurions	nous aurions eu
vous auriez	vous auriez eu
ils auraient	ils auraient eu

Passé 2e forme

j'eusse eu
tu eusses eu
il eût eu
nous eussions eu
vous eussiez eu
ils eussent eu

Par ailleurs, il sert aussi à former :

— les temps passés du verbe *être* : *j'avais été* ;

— les temps passés des verbes à la forme passive, à l'aide du verbe *être* : *j'ai été poursuivi* ;

— les temps passés d'une partie des verbes à la forme active : *j'ai mangé*.

b) Conjugaison du verbe ÊTRE

(voir tableau 2 page 51).

☞ Remarques sur la conjugaison du verbe ÊTRE :

• A chaque temps, on trouve des lettres finales invariables (c'est-à-dire qui ne changent pas) :

— Singulier : ***-s*** à la 2e personne : *tu es — tu étais* ;

— Pluriel : ***-es*** ou ***-ons*** à la 1re personne : *nous sommes — nous étions* ; ***-es*** ou ***-ez*** à la 2e personne : *vous êtes — vous serez* ; ***-ont*** ou ***-ent*** à la 3e personne : *ils seront — ils étaient*.

• Les formes du *conditionnel présent* sont aussi utilisées comme *futur du passé de l'indicatif* (p. 139).

• Les formes du conditionnel passé sont aussi utilisées comme *futur antérieur du passé de l'indicatif* (p. 138).

• Le verbe *être*, utilisé en tant qu'auxiliaire, sert à former :

— les temps passés de plusieurs verbes intransitifs à la forme active : *elle est venue* ;

— les temps passés de tous les verbes à la forme pronominale : *tu t'es lavé* ; *nous nous sommes lavés*.

— les temps simples des verbes à la forme passive : *il sera félicité* ;

— les temps passés des verbes à la forme passive, à l'aide du verbe *avoir* : *j'ai été poursuivi*.

TABLEAU 2 – CONJUGAISON DU VERBE *ÊTRE*

MODE INDICATIF

résent	*Passé composé*
suis	j'ai été
es	tu as été
est	il a été
ous sommes	nous avons été
ous êtes	vous avez été
s sont	ils/elles ont été

mparfait	*Plus-que-parfait*
étais	j'avais été
étais	tu avais été
était	il avait été
ous étions	nous avions été
ous étiez	vous aviez été
s étaient	ils avaient été

assé simple	*Passé antérieur*
fus	j'eus été
fus	tu eus été
fut	il eut été
ous fûmes	nous eûmes été
ous fûtes	vous eûtes été
s furent	ils eurent été

utur simple	*Futur antérieur*
serai	j'aurai été
seras	tu auras été
sera	il aura été
ous serons	nous aurons été
ous serez	vous aurez été
s seront	ils auront été

PARTICIPE

résent	*Passé*
tant	été
	ayant été

INFINITIF

résent	*Passé*
tre	avoir été

IMPÉRATIF

Présent	*Passé*
sois	aie été
soyons	ayons été
soyez	ayez été

MODE SUBJONCTIF

Présent	*Imparfait*
que ...	que ...
je sois	je fusse
tu sois	tu fusses
il soit	il fût
nous soyons	nous fussions
vous soyez	vous fussiez
ils soient	ils fussent

Passé	*Plus-que-parfait*
que ...	que ...
j'aie été	j'eusse été
tu aies été	tu eusses été
il ait été	il eût été
nous ayons été	nous eussions été
vous ayez été	vous eussiez été
ils aient été	ils eussent été

MODE CONDITIONNEL

Présent	*Passé 1re forme*
je serais	j'aurais été
tu serais	tu aurais été
il/elle serait	il/elle aurait été
nous serions	nous aurions été
vous seriez	vous auriez été
ils seraient	ils auraient été

Passé 2e forme

j'eusse été
tu eusses été
il eût été
nous eussions été
vous eussiez été
ils eussent été

c) Conjugaison du verbe AIMER (1er groupe)

(voir tableau 3 pages 54 et 55).

Verbe du 1er groupe, voix active, verbe transitif.

☞ Remarques sur la conjugaison des verbes du 1er groupe

• À chaque temps, on trouve des lettres finales invariables (c'est-à-dire qui ne changent pas) :

— Singulier : ***-s*** à la 2e personne : *tu aime**s** — tu aimai**s*** ;

— Pluriel: ***-es*** ou ***-ons*** à la 1re personne: *nous aim**ons** — nous aimâm**es*** ; ***-es*** ou ***-ez*** à la 2e personne : *vous aimât**es** — vous aimer**ez*** ; ***-ont*** ou ***-ent*** à la 3e personne : *ils aimer**ont** — ils aimai**ent**.*

• Les verbes dont l'infinitif se termine en ***-cer*** prennent une *cédille* sous le **c** devant les voyelles ***a*** ou ***o*** :

*commen**cer**, nous commen**ç**ons.*

*balan**cer**, balan**ç**ant.*

• Les verbes dont l'infinitif se termine en ***-ger*** prennent un ***e*** après le ***-g*** devant les voyelles ***a*** ou ***o*** :

*na**ger**, tu nag**e**ais —enga**ger**, il engag**e**a.*

• Les verbes qui ont un ***-e** muet* à l'avant-dernière syllabe de l'infinitif transforment ce *-**e** muet* en *-**è** ouvert* (avec accent grave) devant une syllabe *muette.*

*acheter, j'ach**è**te.*

*geler, il g**è**le.*

• Les verbes qui ont un ***-é** fermé* à l'avant-dernière syllabe de l'infinitif transforment ce *-**é** fermé* en ***è** ouvert* (avec accent grave) devant une syllabe *muette finale.*

*esp**é**rer, j'esp**è**re*

*énum**é**rer, il énum**è**re* (mais : *il énum**é**rera*).

• Les verbes du 1er groupe , à l'impératif présent, ne prennent pas de **-s** à la 2e personne du singulier : *aie aimé*.

Toutefois, les verbes du 1er groupe prennent un **-s** à la 2e personne du singulier devant ***-en*** et ***-y*** : *mange**s**-**en** — pense**s**-**y***.

• Certains verbes en ***-eler*** et en ***-eter*** doublent la consonne ***-l*** ou ***-t*** devant un *-e muet*.
*appe**ler**, j'appe**lle** —**jeter**, il **jette***.
(mais attention : *ache**ter**, j'ach**ète** —**geler**, il g**èle***.).

• Les verbes en ***-ayer***, ***-oyer***, ***-uyer*** changent l'*-y* en ***-i*** devant un *-e muet*.
***noyer**, il se noie — br**oyer**, il broie*.

Toutefois, les verbes en ***-ayer*** peuvent garder les deux possibilités :

***payer** : il paie* ou *il paye*.

*ess**ayer** : j'essaie ou j'essaye*

• Les formes du *conditionnel présent* sont aussi utilisées comme *futur du passé de l'indicatif*.

• Les formes du conditionnel passé sont aussi utilisées comme *futur antérieur du passé de l'indicatif*.

d) Conjugaison du verbe FINIR (voir tableau 4 pages 56 et 57).

Verbe du 2e groupe, voix active, verbe transitif.

☞ Remarques sur la conjugaison du verbe FINIR

• À chaque temps, on trouve des lettres finales invariables (c'est-à-dire qui ne changent pas) :

— Singulier: -**s** à la 2e pers. : *tu finis — tu finissai**s***;

— Pluriel : ***-es*** ou ***-ons*** à la 1re personne : *nous finis**sons** — nous finî**mes*** ; ***-es*** ou ***-ez*** à la 2e personne : *vous finîtes — vous finire**z*** ; ***-ont*** ou ***-ent*** à la 3e personne : *ils fini**ront** — ils fini**rent***.

TABLEAU 3 – CONJUGAISON DU VERBE *AIMER*

MODE INDICATIF

Présent	***Passé composé***
j'aime	j'ai aimé
tu aimes	tu as aimé
il aime	il a aimé
nous aimons	nous avons aimé
vous aimez	vous avez aimé
ils aiment	ils ont aimé
Imparfait	***Plus-que-parfait***
j'aimais	j'avais aimé
tu aimais	tu avais aimé
il aimait	il avait aimé
nous aimions	nous avions aimé
vous aimiez	vous aviez aimé
ils aimaient	ils avaient aimé
Passé simple	***Passé antérieur***
j'aimai	j'eus aimé
tu aimas	tu eus aimé
il aima	il eut aimé
nous aimâmes	nous eûmes aimé
vous aimâtes	vous eûtes aimé
ils aimèrent	ils eurent aimé
Futur simple	***Futur antérieur***
j'aimerai	j'aurai aimé
tu aimeras	tu auras aimé
il aimera	il aura aimé
nous aimerons	nous aurons aimé
vous aimerez	vous aurez aimé
ils aimeront	ils auront aimé

PARTICIPE

Présent	***Passé***
aimant	aimé, aimée
	ayant aimé

INFINITIF

Présent	***Passé***
aimer	avoir aimé

IMPÉRATIF

Présent	*Passé*
aime	aie aimé
aimons	ayons aimé
aimez	ayez aimé

MODE SUBJONCTIF

Présent	*Imparfait*
que ...	que ...
j'aime	j'aimasse
tu aimes	tu aimasses
il aime	il aimât
nous aimions	nous aimassions
vous aimiez	vous aimassiez
ils aiment	ils aimassent

Passé	*Plus-que-parfait*
que ...	que ...
j'aie aimé	j'eusse aimé
tu aies aimé	tu eusses aimé
il ait aimé	il eût aimé
nous ayons aimé	nous eussions aimé
vous ayez aimé	vous eussiez aimé
ils aient aimé	ils eussent aimé

MODE CONDITIONNEL

Présent	*Passé 1re forme*
j' aimerais	j'aurais aimé
tu aimerais	tu aurais aimé
il aimerait	il aurait aimé
nous aimerions	nous aurions aimé
vous aimeriez	vous auriez aimé
ils aimeraient	ils auraient aimé

Passé 2e forme

j'eusse aimé
tu eusses aimé
il eût aimé
nous eussions aimé
vous eussiez aimé
ils eussent aimé

TABLEAU 4 – CONJUGAISON DU VERBE *FINIR*

MODE INDICATIF

Présent	***Passé composé***
je finis	j'ai fini
tu finis	tu as fini
il finit	il a fini
nous finissons	nous avons fini
vous finissez	vous avez fini
ils finissent	ils ont fini
Imparfait	***Plus-que-parfait***
je finissais	j'avais fini
tu finissais	tu avais fini
il finissait	il avait fini
nous finissions	nous avions fini
vous finissiez	vous aviez fini
ils finissaient	ils avaient fini
Passé simple	***Passé antérieur***
je finis	j'eus fini
tu finis	tu eus fini
il finit	il eut fini
nous finîmes	nous eûmes fini
vous finîtes	vous eûtes fini
ils finirent	ils eurent fini
Futur simple	***Futur antérieur***
je finirai	j'aurai fini
tu finiras	tu auras fini
il finira	il aura fini
nous finirons	nous aurons fini
vous finirez	vous aurez fini
ils finiront	ils auront fini

PARTICIPE

Présent	***Passé***
finissant	fini, finie
	ayant fini

INFINITIF

Présent	***Passé***
finir	avoir fini

IMPÉRATIF

Présent	*Passé*
finis	aie fini
finissons	ayons fini
finissez	ayez fini

MODE SUBJONCTIF

Présent	*Imparfait*
que ...	que ...
je finisse	je finisse
tu finisses	tu finisses
il finisse	il finît
nous finissions	nous finissions
vous finissiez	vous finissiez
ils finissent	ils finissent

Passé	*Plus-que-parfait*
que ...	que ...
j'aie fini	j'eusse fini
tu aies fini	tu eusses fini
il ait fini	il eût fini
nous ayons fini	nous eussions fini
vous ayez fini	vous eussiez fini
ils aient fini	ils eussent fini

MODE CONDITIONNEL

Présent	*Passé 1re forme*
je finirais	j'aurais fini
tu finirais	tu aurais fini
il finirait	il aurait fini
nous finirions	nous aurions fini
vous finiriez	vous auriez fini
ils finiraient	ils auraient fini

Passé 2e forme

j'eusse fini
tu eusses fini
il eût fini
nous eussions fini
vous eussiez fini
ils eussent fini

• Les verbes en *ir* qui se conjuguent sur *finir* allongent leur radical en intercalant la syllabe -*iss* entre le radical et la terminaison :

— aux trois personnes du pluriel du présent de l'indicatif : *nous finissons* ;

— à l'imparfait de l'indicatif : *tu finissais* ;

— au subjonctif présent : *que je finisse* ;

— au participe présent : *finissant*.

Le tableau 4 pages 56 et 57 permet de savoir à quel temps on intercale *i*.

• Le verbe *haïr* prend partout un tréma sur l'*i* ; *haïr* s'écrit sans tréma au singulier du présent de l'indicatif et à l'impératif :

je hais — il hait — ne le hais pas

• Les formes du *conditionnel présent* sont aussi utilisées comme *futur du passé de l'indicatif*.

• Les formes du conditionnel passé sont aussi utilisées comme *futur antérieur du passé de l'indicatif*.

e) Conjugaison du verbe SENTIR (voir tableau 5 pages 60 et 61).

Verbe du 3e groupe, voix active, verbe transitif.

☞ Remarques sur la conjugaison du verbe SENTIR :

• Les verbes qui se conjuguent comme *sentir* se distinguent des verbes qui se conjuguent comme *finir*, car ils n'allongent pas leur radical.

• Les verbes en *ir* dont le radical se termine par un *t*, perdent ce *t* devant les désinences qui comportent des consonnes :

sentir, je sens — partir, tu pars

Seul *vêtir* garde le *t* devant l'*s* : *je vêts, tu vêts, vêts*.

• Les formes du *conditionnel présent* sont utilisées comme du *futur du passé de l'indicatif*.

• Les formes du conditionnel passé sont aussi utilisées comme *futur antérieur du passé de l'indicatif*.

f) Conjugaison du verbe RECEVOIR (voir tableau 6 pages 62 et 63).

Verbe du 3e groupe, voix active, verbe transitif.

☞ Remarques sur la conjugaison du verbe RECEVOIR :

• Les verbes en *-evoir*, comme *apercevoir, concevoir, décevoir, percevoir*, se conjuguent sur le modèle du verbe *recevoir*. Les principales caractéristiques de ces verbes sont les suivantes :

• Les verbes en *-oir* possèdent les mêmes lettres finales que les verbes que les verbes en *-ir*.

• Toutefois, les verbes *pouvoir, valoir, vouloir*, prennent ***-x*** à la place d'***-s*** à la 1re et à la 2e personne du présent de l'indicatif.

• Au trois personnes du singulier et à la 3e personne du pluriel du présent de l'indicatif et du présent du subjonctif, ainsi qu'à la 2e personne du singulier du présent de l'impératif, *-ev* se transforme en *-oiv* :

nous recevons — ils reçoivent.

Le -v disparaît devant une consonne :

tu reçois — il reçoit.

• *-ev* disparaît au passé simple de l'indicatif, à l'imparfait du subjonctif et au participe passé :

tu reçus — qu'il reçût — reçu.

• *Devoir* se conjugue comme *recevoir*, mais il porte un accent circonflexe au masculin du participe passé passif : *dû.*

• Les autres verbes en *-oir* (autres que les verbes en *-evoir*) sont tous irréguliers.

TABLEAU 5 – CONJUGAISON DU VERBE *SENTIR*

MODE INDICATIF

Présent	***Passé composé***
je sens	j'ai senti
tu sens	tu as senti
il sent	il a senti
nous sentons	nous avons senti
vous sentez	vous avez senti
ils sentent	ils ont senti
Imparfait	***Plus-que-parfait***
je sentais	j'avais senti
tu sentais	tu avais senti
il sentait	il avait senti
nous sentions	nous avions senti
vous sentiez	vous aviez senti
ils sentaient	ils avaient senti
Passé simple	***Passé antérieur***
je sentis	j'eus senti
tu sentis	tu eus senti
il sentit	il eut senti
nous sentîmes	nous eûmes senti
vous sentîtes	vous eûtes senti
ils sentirent	ils eurent senti
Futur simple	***Futur antérieur***
je sentirai	j'aurai senti
tu sentiras	tu auras senti
il sentira	il aura senti
nous sentirons	nous aurons senti
vous sentirez	vous aurez senti
ils sentiront	ils auront senti

PARTICIPE

Présent	***Passé***
sentant	senti, sentie ayant senti

INFINITIF

Présent	***Passé***
sentir	avoir senti

IMPÉRATIF

Présent	***Passé***
sens	aie senti
sentons	ayons senti
sentez	ayez senti

MODE SUBJONCTIF

Présent	***Imparfait***
que ...	que ...
je sente	je sentisse
tu sentes	tu sentisses
il sente	il sentît
nous sentions	nous sentissions
vous sentiez	vous sentissiez
ils sentent	ils sentissent

Passé	***Plus-que-parfait***
que ...	que ...
j'aie senti	j'eusse senti
tu aies senti	tu eusses senti
il ait senti	il eût senti
nous ayons senti	nous eussions senti
vous ayez senti	vous eussiez senti
ils aient senti	ils eussent senti

MODE CONDITIONNEL

Présent	***Passé 1re forme***
je sentirais	j'aurais senti
tu sentirais	tu aurais senti
il sentirait	il aurait senti
nous sentirions	nous aurions senti
vous sentiriez	vous auriez senti
ils sentiraient	ils auraient senti

Passé 2e forme

j'eusse senti
tu eusses senti
il eût senti
nous eussions senti
vous eussiez senti
ils eussent senti

TABLEAU 6 – CONJUGAISON DU VERBE *RECEVOIR*

MODE INDICATIF

Présent	***Passé composé***
je reçois	j'ai reçu
tu reçois	tu as reçu
il reçoit	il a reçu
nous recevons	nous avons reçu
vous recevez	vous avez reçu
ils reçoivent	ils ont reçu
Imparfait	***Plus-que-parfait***
je recevais	j'avais reçu
tu recevais	tu avais reçu
il recevait	il avait reçu
nous recevions	nous avions reçu
vous receviez	vous aviez reçu
ils recevaient	ils avaient reçu
Passé simple	***Passé antérieur***
je reçus	j'eus reçu
tu reçus	tu eus reçu
il reçut	il eut reçu
nous reçûmes	nous eûmes reçu
vous reçûtes	vous eûtes reçu
ils reçurent	ils eurent reçu
Futur simple	***Futur antérieur***
je recevrai	j'aurai reçu
tu recevras	tu auras reçu
il recevra	il aura reçu
nous recevrons	nous aurons reçu
vous recevrez	vous aurez reçu
ils recevront	ils auront reçu

PARTICIPE

Présent	***Passé***
recevant	reçu, reçue
	ayant reçu

INFINITIF

Présent	***Passé***
recevoir	avoir reçu

IMPÉRATIF

Présent

reçois
recevons
recevez

Passé

aie reçu
ayons reçu
ayez reçu

MODE SUBJONCTIF

Présent

que ...
je reçoive
tu reçoives
il reçoive
nous recevions
vous receviez
ils reçoivent

Imparfait

que ...
je reçusse
tu reçusses
il reçût
nous reçussions
vous reçussiez
ils reçussent

Passé

que ...
j'aie reçu
tu aies reçu
il ait reçu
nous ayons reçu
vous ayez reçu
ils aient reçu

Plus-que-parfait

que ...
j'eusse reçu
tu eusses reçu
il eût reçu
nous eussions reçu
vous eussiez reçu
ils eussent reçu

MODE CONDITIONNEL

Présent

je recevrais
tu recevrais
il recevrait
nous recevrions
vous recevriez
ils recevraient

Passé 1re forme

j'aurais reçu
tu aurais reçu
il aurait reçu
nous aurions reçu
vous auriez reçu
ils auraient reçu

Passé 2e forme

j'eusse reçu
tu eusses reçu
il eût reçu
nous eussions reçu
vous eussiez reçu
ils eussent reçu

g) Conjugaison du verbe RENDRE (voir tableau 7 pages 66 et 67)

Verbe du 3e groupe, voix active, verbe transitif.

☞ Remarques sur la conjugaison du verbe RENDRE

• Les lettres finales des verbes se terminant en *-re* sont les mêmes que celles de la 2e et de la 3e conjugaison.

Notez cette exception toutefois : les verbes qui ont un *-d* au radical, comme *entendre, rendre, vendre,* n'ont pas de *-t* après le *-d* à la 3e personne du singulier du présent de l'indicatif :

il entend — il rend — il vend.

• Les verbes qui se terminent par *-indre* n'ont pas de *-d* au présent de l'indicatif ; ils s'écrivent avec un *-t :*

*cra**indre** : il craint.*

• Les verbes qui se terminent par *-soudre* n'ont plus de *-d* au présent de l'indicatif et à l'impératif :

*ré**soudre** : je résous, il résout.*

Les autres verbes qui se terminent par *-oudre* conserve un *-d* :

*co**udre** : je cou**ds** ; il cou**d**.*

• Les verbes qui ont deux *-t* au radical n'en gardent qu'un au présent de l'indicatif et de l'impératif :

permettre : je permets — battre : je bats.

• Les verbes qui se terminent en *-aître* et en *-oître* ont un accent circonflexe sur le *-i* lorsqu'il est suivi d'un *-t : paraître ; il paraît — croître — naître.*

Par ailleurs, ils perdent le *-t* devant un *-s* au présent du présent de l'indicatif et de l'impératif.

naître : je nais — paraître : je parais — connaître : je connais.

• Les verbes *plaire* et ses composés *complaire* et

déplaire, ont un accent circonflexe à la 3e personne du singulier du présent de l'indicatif :

plaire : il plaît ; il déplaît.

• Les formes du *conditionnel présent* sont aussi utilisées comme *futur du passé de l'indicatif.*

• Les formes du conditionnel passé sont aussi utilisées comme *futur antérieur du passé de l'indicatif.*

h) Conjugaison d'un verbe intransitif : ENTRER
(voir tableau 8 pages 68 et 69).

Verbe du 1er groupe, voix active, verbe intransitif.

☞ Remarques sur la conjugaison des verbes intransitifs :

• Attention à l'emploi des auxiliaires *être* ou *avoir* dans la conjugaison des verbes intransitifs :

— les verbes qui expriment un mouvement ou un changement d'état, comme *aller, venir, partir, arriver, entrer,* se conjuguent avec le verbe *être* ;

— les verbes d'action, comme *marcher, bondir, courir, sauter*, se conjuguent avec le verbe *avoir* ;

— certains verbes, comme *demeurer, passer*, se conjuguent avec le verbe *avoir* lorsqu'ils indiquent une action, et avec le verbe *être* lorsqu'ils indiquent un état :

J'ai passé le week-end à la campagne.

Paul est passé te voir ce soir.

Le participe passé des verbes intransitifs conjugués avec l'auxiliaire *être* s'accorde en genre et en nombre avec le nom ou le pronom auquel il se rapporte :

elle est entrée — ils sont entrés.

• Les formes du *conditionnel présent* sont aussi utilisées comme *futur du passé de l'indicatif.*

TABLEAU 7 – CONJUGAISON DU VERBE *RENDRE*

MODE INDICATIF

Présent	*Passé composé*
je rends	j'ai rendu
tu rends	tu as rendu
il rend	il a rendu
nous rendons	nous avons rendu
vous rendez	vous avez rendu
ils rendent	ils ont rendu
Imparfait	***Plus-que-parfait***
je rendais	j'avais rendu
tu rendais	tu avais rendu
il rendait	il avait rendu
nous rendions	nous avions rendu
vous rendiez	vous aviez rendu
ils rendaient	ils avaient rendu
Passé simple	***Passé antérieur***
je rendis	j'eus rendu
tu rendis	tu eus rendu
il rendit	il eut rendu
nous rendîmes	nous eûmes rendu
vous rendîtes	vous eûtes rendu
ils rendirent	ils eurent rendu
Futur simple	***Futur antérieur***
je rendrai	j'aurai rendu
tu rendras	tu auras rendu
il rendra	il aura rendu
nous rendrons	nous aurons rendu
vous rendrez	vous aurez rendu
ils rendront	ils auront rendu

PARTICIPE

Présent	*Passé*
rendant	rendu, rendue
	ayant rendu

INFINITIF

Présent	*Passé*
rendre	avoir rendu

IMPÉRATIF

Présent	***Passé***
rends	aie rendu
rendons	ayons rendu
rendez	ayez rendu

MODE SUBJONCTIF

Présent	***Imparfait***
que ...	que ...
je rende	je rendisse
tu rendes	tu rendisses
il rende	il rendît
nous rendions	nous rendissions
vous rendiez	vous rendissiez
ils rendent	ils rendissent
Passé	***Plus-que-parfait***
que ...	que ...
j'aie rendu	j'eusse rendu
tu aies rendu	tu eusses rendu
il ait rendu	il eût rendu
nous ayons rendu	nous eussions rendu
vous ayez rendu	vous eussiez rendu
ils aient rendu	ils eussent rendu

MODE CONDITIONNEL

Présent	***Passé 1re forme***
je rendrais	j'aurais rendu
tu rendrais	tu aurais rendu
il rendrait	il aurait rendu
nous rendrions	nous aurions rendu
vous rendriez	vous auriez rendu
ils rendraient	ils auraient rendu

Passé 2e forme

j'eusse rendu
tu eusses rendu
il eût rendu
nous eussions rendu
vous eussiez rendu
ils eussent rendu

TABLEAU 8 – CONJUGAISON DU VERBE *ENTRER*

MODE INDICATIF

Présent	***Passé composé***
j'entre	je suis entré
tu entres	tu es entré
il entre	il est entré
nous entrons	nous sommes entrés
vous entrez	vous êtes entrés
ils entrent	ils sont entrés
Imparfait	***Plus-que-parfait***
j'entrais	j'étais entré
tu entrais	tu étais entré
il entrait	il était entré
nous entrions	nous étions entré
vous entriez	vous étiez entré
ils entraient	ils étaient entré
Passé simple	***Passé antérieur***
j'entrai	je fus entré
tu entras	tu fus entré
il entra	il fut entré
nous entrâmes	nous fûmes entrés
vous entrâtes	vous fûtes entrés
ils entrèrent	ils furent entrés
Futur simple	***Futur antérieur***
j'entrerai	je serai entré
tu entreras	tu seras entré
il entrera	il sera entré
nous entrerons	nous serons entrés
vous entrerez	vous serez entrés
ils entreront	ils seront entrés

PARTICIPE

Présent	***Passé***
entrant	entré), entrée étant entré(e)

INFINITIF

Présent	***Passé***
entrer	être entré

IMPÉRATIF

Présent	***Passé***
entre	sois entré
entrons	soyons entré
entrez	soyez entré

MODE SUBJONCTIF

Présent	***Imparfait***
que ...	que ...
j'entre	j'entrasse
tu entres	tu entrasses
il entre	il entrât
nous entrions	nous entrassions
vous entriez	vous entrassiez
ils entrent	ils entrassent

Passé	***Plus-que-parfait***
que ...	que ...
je sois entré	je fusse entré
tu soies entré	tu fusses entré
il soit entré	il fût entré
nous soyons entrés	nous fussions entrés
vous soyez entrés	vous fussiez entrés
ils soient entrés	ils fussent entrés

MODE CONDITIONNEL

Présent	***Passé 1re forme***
j'entrerais	je serais entré
tu entrerais	tu serais entré
il entrerait	il serait entré
nous entrerions	nous serions entrés
vous entreriez	vous seriez entrés
ils entreraient	ils seraient entrés

Passé 2e forme

je fusse entré
tu fusses entré
il fût entré
nous fussions entrés
vous fussiez entrés
ils fussent entrés

• Les formes du *conditionnel passé* sont aussi utilisées comme *futur antérieur du passé de l'indicatif*.

i) Conjugaison d'un verbe pronominal : SE MOQUER

(voir tableau 9 pages 72 et 73).

Verbe du 3e groupe, **verbe pronominal**.

☞ Remarques sur la conjugaison des verbes pronominaux :

• Aux temps composés des verbes qui ne s'emploient essentiellement qu'à la forme pronominale, le participe s'accorde en genre et en nombre avec le sujet : *il s'est enfui — ils se sont enfuis*.

Exemples de verbes essentiellement pronominaux : *se moquer, s'évanouir, se souvenir, se blottir, se réfugier, s'emparer, s'écrouler, etc*.

• Pour les verbes qui ne s'emploient pas uniquement à la forme pronominale (*regarder, se regarder ; promettre, se promettre ; plaindre, se plaindre*), le participe passé s'accorde avec le sujet uniquement si le pronom complément d'objet est complément d'objet direct :

— On écrira : *elles se sont regardé**es***, parce qu'on peut dire *regarder quelqu'un* ; le pronom *se* est complément d'objet direct.

— *elles se sont nui*, parce qu'on dit *nuire **à** quelqu'un* ; le pronom *se* est ici complément d'objet indirect et ne s'accorde pas avec le sujet.

• La place du pronom *se* est variable :

— Aux temps simples, *se* est placé avant le verbe : *je me lave — elle se coiffait — il se vengera*.

— A l'impératif, il est placé après le verbe, auquel il est relié par un trait d'union :
lave-toi – coiffez-vous.

— Aux temps composés, il est placé avant l'auxiliaire *être* :
elles se sont défendues – il s'est battu.

• Un verbe à la forme pronominale ne peut pas se conjuguer à l'impératif passif.

j) Conjugaison à la voix passive du verbe AIMER

(voir tableau 10 pages 74 et 75).

Verbe du 1er groupe, verbe transitif, **voix passive**.

☞ Remarques sur la conjugaison des verbes à la voix passive :

• Pour conjuguer un verbe transitif à la voix passive, il suffit d'ajouter le participe passé du verbe à conjuguer à la conjugaison du verbe *être*.

En d'autres termes, pour conjuguer un temps à la voix passive, il suffit donc de conjuguer le verbe *être* au temps correspondant et d'y ajouter le participe passé du verbe à conjuguer.

✘ Attention : ne confondez pas un verbe conjugué à la voix passive et un temps composé. En effet, le verbe *être* sert d'auxiliaire à plusieurs verbes à la voix active. :

– *il est tombé* (voix active),

– *il est aimé* (voix passive).

TABLEAU 9 – CONJUGAISON DU VERBE *SE MOQUER*
VERBE PRONOMINAL

MODE INDICATIF

Présent	***Passé composé***
je me moque	je me suis moqué
tu te moques	tu t'es moqué
il se moque	il s'est moqué
nous nous moquons	nous nous sommes moqués
vous vous moquez	vous vous êtes moqués
ils se moquent	ils se sont moqués
Imparfait	***Plus-que-parfait***
je me moquais	je m'étais moqué
tu te moquais	tu t'étais moqué
il se moquait	il s'était moqué
nous nous moquions	nous nous étions moqués
vous vous moquiez	vous vous étiez moqués
ils se moquaient	ils s'étaient moqués
Passé simple	***Passé antérieur***
je me moquai	je me fus moqué
tu te moquas	tu te fus moqué
il se moqua	il se fut moqué
nous nous moquâmes	nous nous fûmes moqués
vous vous moquâtes	vous vous fûtes moqués
ils se moquèrent	ils se furent moqués
Futur simple	***Futur antérieur***
je me moquerai	je me serai moqué
tu te moqueras	tu te seras moqué
il se moquera	il se sera moqué
nous nous moquerons	nous nous serons moqués
vous vous moquerez	vous vous serez moqués
ils se moqueront	ils se seront moqués

PARTICIPE

Présent	***Passé***
se moquant	s'étant moqué(e)

INFINITIF

Présent	***Passé***
se moquer	s'être moqué

IMPÉRATIF

Présent

moque-toi
moquons-nous
moquez-vous

MODE SUBJONCTIF

Présent

que ...
je me moque
tu te moques
il se moque
nous nous moquions
vous vous moquiez
ils se moquent

Imparfait

que ...
je me moquasse
tu te moquasses
il se moquât
nous nous moquassions
vous vous moquassiez
ils se moquassent

Passé

que ...
je me sois moqué
tu te sois moqué
il se soit moqué
nous nous soyons moqués
vous vous soyez moqués
ils se soient moqués

Plus-que-parfait

que ...
je me fusse moqué
tu te fusses moqué
il se fût moqué
nous nous fussions moqués
vous vous fussiez moqués
ils se fussent moqués

MODE CONDITIONNEL

Présent

je me moquerais
tu te moquerais
il se moquerait
nous nous moquerions
vous vous moqueriez
ils se moqueraient

Passé 1re forme

je me serais moqué
tu te serais moqué
il se serait moqué
nous nous serions moqués
vous vous seriez moqués
ils se seraient moqués

Passé 2e forme

je me fusse moqué
tu te fusses moqué
il se fût moqué
nous nous fussions moqués
vous vous fussiez moqués
ils se fussent moqués

TABLEAU 10 – CONJUGAISON DU VERBE *AIMER* À LA VOIX PASSIVE

MODE INDICATIF

Présent	*Passé composé*
je suis aimé	j'ai été aimé
tu es aimé	tu as été aimé
il est aimé	il a été aimé
nous sommes aimés	nous avons été aimés
vous êtres aimés	vous avez été aimés
ils sont aimés	ils ont été aimés
Imparfait	***Plus-que-parfait***
j'étais aimé	j'avais été aimé
tu étais aimé	tu avais été aimé
il était aimé	il avait été aimé
nous étions aimés	nous avions été aimés
vous étiez aimés	vous aviez été aimés
ils étaient aimés	ils avaient été aimés
Passé simple	***Passé antérieur***
je fus aimé	j'eus été aimé
tu fus aimé	tu eus été aimé
il fut aimé	il eut été aimé
nous fûmes aimés	nous eûmes été aimés
vous fûtes aimés	vous eûtes été aimés
ils furent aimés	ils eurent été aimés
Futur simple	***Futur antérieur***
je serai aimé	j'aurai été aimé
tu seras aimé	tu auras été aimé
il sera aimé	il aura été aimé
nous serons aimés	nous aurons été aimés
vous serez aimés	vous aurez été aimés
ils seront aimés	ils auront été aimés

PARTICIPE

Présent	*Passé*
étant aimé(e)	ayant été aimé(e)

INFINITIF

Présent	*Passé*
être aimé	avoir été aimé(e)

IMPÉRATIF

Présent

sois aimé
soyons aimés
soyez aimés

MODE SUBJONCTIF

Présent

que ...
je sois aimé
tu sois aimé
il soit aimé
nous soyons aimés
vous soyez aimés
ils soient aimés

Imparfait

que ...
je fusse aimé
tu fusses aimé
il fût aimé
nous fussions aimés
vous fussiez aimés
ils fussent aimés

Passé

que ...
j'aie été aimé
tu aies été aimé
il ait été aimé
nous ayons été aimés
vous ayez été aimés
ils aient été aimés

Plus-que-parfait

que ...
j'eusse été aimé
tu eusses été aimé
il eût été aimé
nous eussions été aimés
vous eussiez été aimés
ils eurent été aimés

MODE CONDITIONNEL

Présent

je serais aimé
tu serais aimé
il serait aimé
nous serions aimés
vous seriez aimés
ils seraient aimés

Passé 1re forme

j'aurais été aimé
tu aurais été aimé
il aurait été aimé
nous aurions été aimés
vous auriez été aimés
ils auraient été aimés

Passé 2e forme

j'eusse été aimé
tu eusses été aimé
il eût été aimé
nous eussions été aimés
vous eussiez été aimés
ils eussent été aimés

k) Conjugaison des verbes impersonnels

(voir tableau 11 pages 77).

Verbe **impersonnel**.

☞ Remarques sur la conjugaison des *verbes impersonnels* :

• Les *verbes impersonnels* ne se conjuguent qu'à la 3e personne du singulier dans les différents temps et pour les différents modes.

• Le pronom neutre *il*, qui tient la place du sujet, n'indique ni un nom de personne, ni un nom de chose.

TABLEAU 12 – CONJUGAISON DU VERBE *PLEUVOIR*

VERBE IMPERSONNEL

MODE INDICATIF

Présent	***Passé composé***
il pleut	il a plu
Imparfait	***Plus-que-parfait***
il pleuvait	il avait plu
Passé simple	***Passé antérieur***
il plut	il eut plu
Futur simple	***Futur antérieur***
il pleuvra	il aura plu

PARTICIPE

Présent	***Passé***
pleuvant	ayant plu

CONDITIONNEL

il pleuvrait

INFINITIF

Présent	***Passé***
pleuvoir	avoir plu

MODE SUBJONCTIF

Présent	***Passé***
qu'il pleuve	qu'il ait plu
Imparfait	***Plus-que-parfait***
qu'il plût	qu'il eût plu

l) Conjugaison interrogative

(voir tableau 12 page 79).

Verbe ***CHANTER*** conjugué interrogativement.

☞ Remarques sur la conjugaison interrogative :

• Les verbe ne peuvent se conjuguer interrogativement qu'au mode **indicatif** et au mode **conditionnel**.

• Pour conjuguer un verbe interrogativement, si le sujet est un pronom, il suffit de placer le pronom sujet après le verbe :

***ils** aiment – aiment-**ils** ?*

• Pour les temps composés, il faut placer le pronom sujet après l'auxiliaire :

***tu** as aimé – as-**tu** aimé ?*

• Lorsque le verbe se termine par un *-e* muet, il devient *-é* devant le pronom sujet à la 1re personne du singulier du présent de l'indicatif :

*j'aime – aim**é**-je ?*

• Pour conjuguer un verbe interrogativement, si le sujet est un nom, il conserve sa place avant le verbe, mais il est repris sous la forme d'un pronom sujet (même genre, même nombre, même personne que le nom) placé après le verbe :

***Lucie** fait du vélo. – **Lucie** fait-**elle** du vêlo ?*

• Lorsque le verbe se termine par une voyelle, il faut ajouter un *-t* entre le verbe et le pronom sujet à la 3e personne du singulier du présent de l'indicatif:

*elle joue – joue-**t**-elle ?*

*elle a joué – a-**t**-elle joué ?*

*il chante – chante-**t**-il ?*

TABLEAU 12 – CONJUGAISON INTERROGATIVE DU VERBE *CHANTER*

MODE INDICATIF

Présent	*Passé composé*
chanté-je ?	ai-je chanté ?
chantes-tu ?	as-tu chanté ?
chante-t-il ?	a-t-il chanté ?
chantons-nous ?	avons-nous chanté ?
chantez-vous ?	avez-vous chanté ?
chantent-ils ?	ont-ils chanté ?
Imparfait	***Plus-que-parfait***
chantais-je ?	avais-je chanté ?
chantais-tu ?	avais-tu chanté ?
chantait-il ?	avait-il chanté ?
chantions-nous ?	avions-nous chanté ?
chantiez-vous ?	aviez-vous chanté ?
chantaient-ils ?	avaient-ils chanté ?
Passé simple	***Passé antérieur***
chantai-je ?	eus-je chanté ?
chantas-tu ?	eus-tu chanté ?
chanta-t-il ?	eut-il chanté ?
chantâmes-nous ?	eûmes-nous chanté ?
chantâtes-vous ?	eûtes-vous chanté ?
chantèrent-ils ?	eurent-ils chanté ?
Futur simple	***Futur antérieur***
chanterai-je ?	aurai-je chanté ?
chanteras-tu ?	auras-tu chanté ?
chantera-t-il ?	aura-t-il chanté ?
chanterons-nous ?	aurons-nous chanté ?
chanterez-vous ?	aurez-vous chanté ?
chanteront-ils ?	auront-ils chanté ?

MODE CONDITIONNEL

Présent	*Passé 1re forme*	*Passé 2e forme*
chanterais-je ?	aurais-je chanté ?	eussé-je chanté ?
chanterais-tu ?	aurais-tu chanté ?	eusses-tu chanté ?
chanterait-il ?	aurait-il chanté ?	eût-il chanté ?
chanterions-nous ?	aurions-nous chanté ?	eussions-nous chanté ?
chanteriez-vous ?	auriez-vous chanté ?	eussiez-vous chanté ?
chanteraient-ils ?	auraient-ils chanté ?	eussent-il chanté ?

• Dans une phrases interrogative, le pronom sujet est relié au verbe par un trait d'union :

manges-tu ?

• A la 1re personne du singulier du présent de l'indicatif, l'inversion du sujet *je* ne se fait pas devant un verbe autre que les verbes en *-er* ; elle est remplacée par la locution *est-ce que ... ?*:

je dors – ***est-ce que*** *je dors ?*

je vends – ***est-ce que*** *je vends ?*

je veux – ***est-ce que*** *je veux ?*

☞ Remarque : certains verbes courants font exception à cette règle :

pouvoir – puis-je ?

être – suis-je ?

avoir – ai-je ?, etc.

m) Conjugaison négative

☞ Remarques sur la conjugaison négative :

• Pour conjuguer un verbe négativement aux temps simples, le verbe se place entre les deux parties de la négation *ne... pas* :

je ***ne*** *mange* ***pas.*** *– je* ***ne*** *courrais* ***pas.***

• Pour conjuguer un verbe négativement aux temps composés, l'auxiliaire se place entre les deux parties de la négation *ne... pas* :

je ***n'****ai* ***pas*** *mangé – il* ***n'****était* ***pas*** *venu.*

• Un verbe conjugué à l'infinitif se place après les deux parties de la négation *ne...pas* :

ne pas *courir –* ***ne pas*** *chanter.*

6.4. Tableau récapitulatif des finales aux temps simples

MODE INDICATIF

Présent

1er groupe
-e / -es / -e / -ons / -ez /- ent
2e groupe
-s / -s / -t / -ons / -ez / -ent
3e groupe
-s / -s / -t / -ons / -ez / -ent

Passé simple

1er groupe
-ai / -as / -a / -âmes / -âtes / -èrent
2e groupe
-is / -is / -it / -îmes / -îtes / -irent
3e groupe
-is / -is / -it / -îmes / -îtes / -irent
-us / -us / -ut / -ûmes / -ûtes / -urent

Imparfait

1er groupe : *-ais / -ais / -ait / -ions / -iez / - aient*
2e groupe : *-(iss)ais / -(iss)ais / -(iss)ait / -(iss)ions / -(iss)iez / -(iss)aient*
3e groupe : *-ais / -ais / -ait / -ions / -iez / -aient*

Futur simple

1er groupe : *-(er)ai / -(er)as / -(er)a / -(er)ons / -(er)ez / -(er)ont*
2e groupe : *-(ir)ai / -(ir)as / -(ir)a / -(ir)ons / -(ir)ez / -(ir)ont*
3e groupe : *(-r)ai / (-r)as / (-r)a / (-r)ons / (-r)ez / (-r)ont*

MODE SUBJONCTIF

Présent

1er groupe : *-e / -es / -e / -ions / -iez / -ent*
2e groupe : *-(iss)e / -(iss)es / -(iss)e / -(iss)ions / -(iss)iez / -(iss)ent*
3e groupe : *-e / -es / -e / -ions / -iez / -ent*

Imparfait

1er groupe : *-asse / -asses / -ât / -assions / -assiez / -assent*
2e groupe : *-isse / -isses / -ît / -issions / -issiez / -issent*
3e groupe : *-isse / -isses / -ît / -issions / -issiez / -issent .....*
-usse / -usses / -ût / -ussions / -ussiez / -ussent

INFINITIF

1er groupe : *-er*
2e groupe : -ir
3e groupe : *-ir, /-oir, /-re*

PARTICIPE

1er groupe : *-ant*
2e groupe : *-(iss)ant*
3e groupe : *-ant*

7. Verbes irréguliers et verbes défectifs

7.1. Verbes irréguliers

On appelle ***verbes irréguliers*** les verbes qui comportent à certaines formes des particularités de radical, de terminaison ou de désinence.

Ces verbes ne respectent pas les règles de la conjugaison à laquelle ils appartiennent. Le plus souvent, ils possèdent les mêmes lettres finales que les verbes réguliers, mais leur radical est variable.

Par exemple, le verbe *aller* possède 3 radicaux :

*va- (je **vais**), all- (**allons**, j'**allais**), ir- (j'**irai**).*

☞ Remarque : les ***verbes réguliers***, quant à eux, se conjuguent sur les modèles de la conjugaison à laquelle ils appartiennent : leur radical reste invariable ; les terminaisons varient en fonction des temps, des modes et des personnes.

***dans**er : **dans**ons, je **dans**erai, qu'il **dans**e, etc.*

7.2. Verbes défectifs

Les verbes défectifs ne se conjuguent qu'à certains temps, certains modes ou certaines personnes.

Par exemple, le verbe *paître* ne se conjugue pas au passé simple et à l'imparfait du subjonctif.

7.3. Liste des verbes irréguliers et défectifs les plus courants.

(Les verbes sont classés par ordre alphabétique)

ABSOUDRE

INDICATIF : présent : *j'absous, il absout, nous absolvons, ils absolvent* ; imparfait : *j'absolvais* ; pas de passé simple ; futur simple : *j'absoudrai* ; passé composé : *je suis absous(te)* ; plus-que-parfait : *j'étais absous(te)* ; passé antérieur : *je fus absous(te)* ; futur antérieur : *je serai absous(te).*

SUBJONCTIF : présent : *que j'absolve, que nous absolvions* ; pas d'imparfait du subjonctif.

CONDITIONNEL : présent : *j'absoudrais* ; passé 1re forme: *je serais absous(te)* ; passé 2e forme : *je fusse absous(te).*

IMPÉRATIF présent : *absous, absolvons, absolvez.*

PARTICIPE : présent : *absolvant* ; passé : *absous, absoute.*

ABSTENIR (S')

Se conjugue comme TENIR.

ACCROÎTRE

Se conjugue comme CROÎTRE, mais le participe passé, *accru*, ne prend pas d'accent circonflexe.

ACQUÉRIR

INDICATIF : présent : *j'acquiers, il aquiert, nous acquérons, ils acquièrent* ; imparfait : *j'acquérais* ; passé simple : *j'acquis* ; futur simple : *j'acquerrai* ; passé composé : *j'ai acquis* ; plus-que-parfait : *j'avais acquis* ; passé antérieur : *j'eus acquis* ; futur antérieur : *j'aurai acquis.*

SUBJONCTIF : présent : *que j'acquière, qu'il acquière, que nous acquérions, qu'ils acquièrent* ; imparfait : *que j'acquisse, que nous acquissions* ; passé : *que j'aie acquis* ; plus-que-parfait : *que j'eusse acquis*.

CONDITIONNEL : présent : *j'acquerrais* ; passé 1re forme : *j'aurais acquis* ; passé 2e forme : *j'eusse acquis*.

IMPÉRATIF présent : *acquiers, acquérons, acquérez*.

PARTICIPE : présent : *acquérant* ; passé : *acquis, aquise*.

ALLER

INDICATIF : présent : *je vais, tu vas, il va, nous allons, ils vont* ; imparfait : *j'allais* ; passé simple : *j'allai* ; futur simple : *j'irai* ; passé composé : *je suis allé(e)* ; plus-que-parfait : *j'étais allé(e)* ; passé antérieur : *je fus allé(e)* ; futur antérieur : *je serai allé(e)*.

SUBJONCTIF : présent : *que j'aille, que nous allions, qu'ils aillent* ; imparfait : *que j'allasse, que nous allassions, qu'ils allassent* ; passé : *que je sois allé(e), qu'elles / ils soient allé(e)s* ; plus-que-parf. : *que je fusse allé(e)*.

CONDITIONNEL : présent : *j'irais* ; passé 1re forme : *je serais allé(e)* ; passé 2e forme : *je fusse allé(e)*.

IMPÉRATIF présent : *va, allons, allez*.

PARTICIPE : présent : *allant* ; passé : *allé*.

APPRENDRE

Se conjugue comme PRENDRE.

ASSAILLIR

INDICATIF : présent : *j'assaille, nous assaillons, ils assaillent* ; imparfait : *j'assaillais, nous assaillions, vous assailliez* ; passé simple : *j'assaillis* ; futur simple : *j'assaillirai* ; passé composé : *j'ai assailli* ; plus-que-parfait : *j'avais assailli* ; passé antérieur : *j'eus assailli* ; futur antérieur : *j'aurai assailli*.

SUBJONCTIF : présent : *que j'assaille, que nous assaillions, que vous assailliez, qu'ils assaillent* ; imparfait : *que j'assaillisse, que nous assaillissions* ;

passé : *que j'aie assailli* ; plus-que-parfait : *que j'eusse assailli*.
CONDITIONNEL : présent : *j'assaillirais* ; passé 1re forme : *j'aurais assailli* ; passé 2e forme : *j'eusse assailli*.
IMPÉRATIF présent : *assaille, assaillons, assaillez*.
PARTICIPE : présent : *assaillant* ; passé : *ayant assailli*.

ASSEOIR

INDICATIF : présent : *j'assieds (ou j'assois), il assied (ou tu assois), nous asseyons (ou nous assoyons), ils asseyent (ou ils assoyent)* ; imparfait : *j'asseyais (ou j'assoyais)* ; passé simple : *j'assis* ; futur simple : *j'assiérai (ou j'assoirai)* ; passé composé : *j'ai assis* ; plus-que-parfait : *j'avais assis* ; passé antérieur : *j'eus assis* ; futur antérieur : *j'aurai assis*.
SUBJONCTIF : présent : *que j'asseye (ou que j'assoie), que nous asseyions (ou que nous assoyions), qu'ils asseyent (ou qu'ils assoient)* ; imparfait : *que j'assisse, qu'il assît, que nous assissions, qu'ils assissent* ; passé : *que j'ai assis* ; plus-que-parfait : *que j'eusse assis*.
CONDITIONNEL : présent : *j'assiérais (ou j'assoirais)* ; *nous assiérions (ou nous assoirions), ils assiéraient (ou ils assoiraient)* ; passé 1re forme : *j'aurais assis* ; passé 2e forme : *j'eusse assis*.
IMPÉRATIF présent : *assieds (ou assois), asseyons (ou assoyez), asseyez (ou assoyez)*.
PARTICIPE : présent : *asseyant (ou assoyant)* ; passé : *assis*.

ASTREINDRE

Se conjugue comme *peindre*.

ATTEINDRE

Se conjugue comme *peindre*.

BOIRE

INDICATIF : présent : *je bois, nous buvons, ils boivent* ;

imparfait : *je buvais* ; passé simple : *je bus* ; futu simple : *je boirai* ; passé composé : *j'ai bu* ; plus-que parfait : *j'avais bu* ; passé antérieur : *j'eus bu* ; futu antérieur : *j'aurai bu*.
SUBJONCTIF : présent : *que je boive, que nous buvions qu'ils boivent* ; imparfait : *que je busse* ; passé : *qu j'aie bu* ; plus-que-parfait : *que j'eusse bu*.
CONDITIONNEL : présent : *je boirais* ; passé 1re forme *j'aurais bu* ; passé 2e forme : *j'eusse bu*.
IMPÉRATIF présent : *bois, buvons, buvez*.
PARTICIPE : présent : *buvant* ; passé : *bu*.

BOUILLIR

INDICATIF : présent : *je bous, il bout, nous bouillons, il bouillent* ; imparfait : *je bouillais* ; passé simple : *j bouillis* ; futur simple : *je bouillirai* ; passé composé *j'ai bouilli* ; plus-que-parfait : *j'avais bouilli* ; pass antérieur : *j'eus bouilli* ; futur antérieur : *j'aurai bouilli*
SUBJONCTIF : présent : *que je bouille, que nous bouil lions* ; imparfait : *que je bouillisse* ; passé : *que j'ai bouilli* ; plus-que-parfait : *que j'eusse bouilli*.
CONDITIONNEL : présent : *je bouillirais* ; passé 1r forme : *j'aurais bouilli* ; passé 2e forme : *j'eusse bouilli*
IMPÉRATIF présent : *bous, bouillons, bouillez*.
PARTICIPE : présent : *bouillant* ; passé : *bouilli*.

BRAIRE

Ce verbe ne s'emploie plus qu'à l'INFINITIF et aux troi sièmes personnes du singulier et du pluriel de l'INDICA TIF présent, du futur et du conditionnel : *il brait, il braient ; il braira, ils brairont ; il brairait , ils brai raient*.

BRUIRE

Ce verbe ne s'emploie plus qu'à l'INFINITIF et au troisièmes personnes du singulier et du pluriel d l'INDICATIF présent et de l'imparfait comme suit : *il bruit ; il bruissait ; ils bruissaient.*

CEINDRE

Se conjugue comme *peindre.*

CHOIR

INDICATIF : présent : *je chois, tu chois, il choit,* (ne s'emploie pas à la 1re et à la 2e pers. du pl.), *ils choient* ; ne s'emploie pas à imparfait ; passé simple : *je chus, elles churent* ; futur simple : *je choirai* ; passé composé : *j'ai chu* ; plus-que-parfait : *j'avais chu* ; passé antérieur : *j'eus chu* ; futur antérieur : *j'aurai chu.*
SUBJONCTIF : ne s'emploie pas au subjonctif présent ; imparfait : *qu'il chût* (ne s'emploie qu'à la 3ème personne du singulier) ; passé : *qu'il ait chu* ; plus-que-parfait : *qu'il eût chu.*
CONDITIONNEL : présent : *je choirais* ; passé 1re forme : *j'aurais chu* ; passé 2e forme : *j'eusse chu.*
IMPÉRATIF présent : inusité.
PARTICIPE : ne s'emploie pas au participe présent ; passé : *chu.*

CLORE

INDICATIF : présent : *je clos, il clôt, nous closons, ils closent* ; ne s'emploie plus à l'imparfait ; ne s'emploie plus au passé simple ; futur simple : *je clorai* ; passé composé : *j'ai clos* ; plus-que-parfait : *j'avais clos* ; passé antérieur : *j'eus clos* ; futur antérieur : *j'aurai clos.*
SUBJONCTIF : présent : *que je close* ; ne s'emploie plus au subjonctif imparfait ; passé : *que j'aie clos* ; plus-que-parfait : *que j'eusse clos.*
CONDITIONNEL : présent : *je clorais* ; passé 1re forme : *j'aurais clos* ; passé 2e forme : *j'eusse clos.*
IMPÉRATIF présent : *clos* (pas de 2e et 3e pers. du pluriel).

PARTICIPE : ne s'emploie plus au participe présent passé : *clos*.

CONCLURE

INDICATIF : présent : *je conclus, ils concluent* ; imparfait : *je concluais* ; passé simple : *je conclus* ; futur simple : *je conclurai* ; passé composé : *j'ai conclu* plus-que-parfait : *j'avais conclu* ; passé antérieur : *j'eus conclu* ; futur antérieur : *j'aurai conclu*.

SUBJONCTIF : présent : *que je conclue, que nous concluions, qu'ils concluent* ; imparfait : *que je conclusse* ; passé : *que j'aie conclu* ; plus-que-parfait *que j'eusse conclu*.

CONDITIONNEL : présent : *je conclurais* ; passé 1re forme: *j'aurais conclu* ; passé 2e forme : *j'eusse conclu*.

IMPÉRATIF présent : *conclus, concluons, concluez*.

PARTICIPE : présent : *concluant* ; passé : *conclu*.

CONDUIRE

INDICATIF : présent : *je conduis, nous conduisons* imparfait : *je conduisais* ; passé simple : *je conduisis* futur simple : *je conduirai* ; passé composé : *j'ai conduit* ; plus-que-parfait : *j'avais conduit* ; passé antérieur : *j'eus conduit* ; futur antérieur : *j'aurai conduit*.

SUBJONCTIF : présent : *que je conduise, que nous conduisions, qu'ils conduisent* ; imparfait : *que je conduisisse* ; passé : *que j'aie conduit* ; plus-que-parfait : *que j'eusse conduit*.

CONDITIONNEL : présent : *je conduirais* ; passé 1re forme *j'aurais conduit* ; passé 2e forme : *j'eusse conduit*.

IMPÉRATIF présent : *conduis, conduisons, conduisez*.

PARTICIPE : présent : *conduisant* ; passé : *conduit*.

CONFIRE

INDICATIF : présent : *je confis, nous confisons* ; impar

fait : *je confisais* ; passé simple : *je confis* ; futur simple : *je confirai* ; passé composé : *j'ai confit* ; plus-que-parfait : *j'avais confit* ; passé antérieur : *j'eus confit* ; futur antérieur : *j'aurai confit.*

SUBJONCTIF : présent : *que je confise, que nous confisions* ; n'est plus employé à l'imparfait du subjonctif ; passé : *que j'aie confit* ; plus-que-parfait : *que j'eusse confit.*

CONDITIONNEL : présent : *je confirais* ; passé 1re forme : *j'aurais confit* ; passé 2e forme : *j'eusse confit.*

IMPÉRATIF présent : *confis, confisons, confisez.*

PARTICIPE : présent : *confisant* ; passé : *confit(e).*

CONNAÎTRE

INDICATIF : présent : *je connais, il connaît, nous connaissons* ; imparfait : *je connaissais* ; passé simple : *je connus* ; futur simple : *je connaîtrai* ; passé composé : *j'ai connu* ; plus-que-parfait : *j'avais connu* ; passé antérieur : *j'eus connu* ; futur antérieur : *j'aurai connu.*

SUBJONCTIF : présent : *que je connaisse, que nous connaissions* ; imparfait : *que je connusse, que nous connussions* ; passé : *que j'aie connu* ; plus-que-parfait : *que j'eusse connu.*

CONDITIONNEL : présent : *je connaîtrais* ; passé 1re forme : *j'aurais connu* ; passé 2e forme : *j'eusse connu.*

IMPÉRATIF présent : *connais, connaissons, connaissez.*

PARTICIPE : présent : *connaissant* ; passé : *connu.*

CONQUÉRIR

Se conjugue comme ACQUÉRIR.

CONSTRUIRE

Se conjugue comme CONDUIRE.

CONTRAINDRE

Se conjugue comme CRAINDRE.

CONTREDIRE

Ce verbe se conjugue comme DIRE, sauf à la 2e personne du pluriel de l'indicatif présent *(vous contredisez)* et de l'impératif *(contredisez)*.

COUDRE

INDICATIF : présent : *je couds, il coud, nous cousons* ; imparfait : *je cousais* ; passé simple : *je cousis* ; futur simple : *je coudrai* ; passé composé : *j'ai cousu* ; plus-que-parfait : *j'avais cousu* ; passé antérieur : *j'eus cousu* ; futur antérieur : *j'aurai cousu*.
SUBJONCTIF : présent : *que je couse, que nous cousions* ; imparfait : *que je cousisse, que nous cousissions* ; passé : *que j'aie cousu* ; plus-que-parfait : *que j'eusse cousu*.
CONDITIONNEL : présent : *je coudrais* ; passé 1re forme : *j'aurais cousu* ; passé 2e forme : *j'eusse cousu*.
IMPÉRATIF présent : *couds, cousons, cousez*.
PARTICIPE : présent : *cousant* ; passé : *cousu*.

COURIR

INDICATIF : présent : *je cours, il court, nous courons* ; imparfait : *je courais* ; passé simple : *je courus* ; futur simple : *je courrai* ; passé composé : *j'ai couru* ; plus-que-parfait : *j'avais couru* ; passé antérieur : *j'eus couru* ; futur antérieur : *j'aurai couru*.
SUBJONCTIF : présent : *que je coure, que nous courions* ; imparfait : *que je courusse, que nous courussions* ; passé : *que j'aie couru* ; plus-que-parfait : *que j'eusse couru*.
CONDITIONNEL : présent : *je courrais* ; passé 1re forme : *j'aurais couru* ; passé 2e forme : *j'eusse couru*.
IMPÉRATIF présent : *cours, courons, courez*.
PARTICIPE : présent : *courant* ; passé : *couru*.

COUVRIR

Se conjugue comme OUVRIR.

CRAINDRE

INDICATIF : présent : *je crains, il craint, nous craignons, ils craignent* ; imparfait : *je craignais* ; passé simple : *je craignis* ; futur simple : *je craindrai* ; passé composé : *j'ai craint* ; plus-que-parfait : *j'avais craint* ; passé antérieur : *j'eus craint* ; futur antérieur : *j'aurai craint.*

SUBJONCTIF : présent : *que je craigne, que nous craignions* ; imparfait : *que je craignisse, que nous craignissions* ; passé : *que j'aie craint* ; plus-que-parfait : *que j'eusse craint.*

CONDITIONNEL : présent : *je craindrais* ; passé 1re forme : *j'aurais craint* ; passé 2e forme : *j'eusse craint.*

IMPÉRATIF présent : *crains, craignons, craignez.*

PARTICIPE : présent : *craignant* ; passé : *craint.*

CROIRE

INDICATIF : présent : *je crois, il croit, nous croyons, ils croient* ; imparfait : *je croyais* ; passé simple : *je crus* ; futur simple : *je croirai* ; passé composé : *j'ai cru* ; plus-que-parfait : *j'avais cru* ; passé antérieur : *j'eus cru* ; futur antérieur : *j'aurai cru.*

SUBJONCTIF : présent : *que je croie, que nous croyions* ; imparfait : *que je crusse, que nous crussions* ; passé : *que j'aie cru* ; plus-que-parfait : *que j'eusse cru.*

CONDITIONNEL : présent : *je croirais* ; passé 1re forme : *j'aurais cru* ; passé 2e forme : *j'eusse cru.*

IMPÉRATIF présent : *crois, croyons, croyez.*

PARTICIPE : présent : *croyant* ; passé : *cru (crus), crue (crues).*

CROÎTRE

INDICATIF : présent : *je croîs, il croît, nous croissons, ils croissent* ; imparfait : *je croissais* ; passé simple : *je crûs, elles crûrent* ; futur simple : *je croîtrai* ; passé composé : *j'ai crû* ; plus-que-parfait : *j'avais crû* ; passé

antérieur : *j'eus crû* ; futur antérieur : *j'aurai crû.*
SUBJONCTIF : présent : *que je croisse, que nous croissions* ; imparfait : *que je crûsse, qu'elle crûsse, que nous crûssions* ; passé : *que j'aie crû* ; plus-que-parfait : *que j'eusse crû.*
CONDITIONNEL : présent : *je croîtrais* ; passé 1re forme : *j'aurais crû* ; passé 2e forme : *j'eusse crû.*
IMPÉRATIF présent : *croîs, croissons, croissez.*
PARTICIPE : présent : *croissant* ; passé : *crû (crus), crue (crues).*

CUEILLIR

INDICATIF : présent : *je cueille, il cueille, nous cueillons, ils cueillent* ; imparfait : *je cueillais* ; passé simple : *je cueillis* ; futur simple : *je cueillerai* ; passé composé : *j'ai cueilli* ; plus-que-parfait : *j'avais cueilli* ; passé antérieur : *j'eus cueilli* ; futur antérieur : *j'aurai cueilli.*
SUBJONCTIF : présent : *que je cueille, que nous cueillions* ; imparfait : *que je cueillisse, que nous cueillissions* ; passé : *que j'aie cueilli* ; plus-que-parfait : *que j'eusse cueilli.*
CONDITIONNEL : présent : *je cueillerais* ; passé 1re forme : *j'aurais cueilli* ; passé 2e forme : *j'eusse cueilli.*
IMPÉRATIF présent : *cueille, cueillons, cueillez.*
PARTICIPE : présent : *cueillant* ; passé : *cueilli.*

CUIRE

Se conjugue comme CONDUIRE.

DÉCHOIR

Se conjugue comme CHOIR ; aux temps composés, DÉCHOIR peut se conjuguer avec l'auxiliaire *être* ou l'auxiliaire *avoir.*

DÉCROÎTRE

Ce verbe se conjugue comme CROÎTRE, mais le participe passé *décru* ne prend pas d'accent circonflexe.

DÉDIRE

Ce verbe se conjugue comme DIRE, sauf à la 2e personne de l'indicatif présent *(vous dédisez)* et de l'impératif *(dédisez)*.

DÉDUIRE

Se conjugue comme CONDUIRE.

DÉTEINDRE

Se conjugue comme PEINDRE.

DÉTRUIRE

Se conjugue comme CONDUIRE.

DEVOIR

INDICATIF : présent : *je dois, il doit, nous devons, ils doivent* ; imparfait : *je devais* ; passé simple : *je dus, il dut, nous dûmes, elles durent* ; futur simple : *je devrai* ; passé composé : *j'ai dû* ; plus-que-parfait : *j'avais dû* ; passé antérieur : *j'eus dû* ; futur antérieur : *j'aurai dû.*
SUBJONCTIF : présent : *que je doive, que nous devions* ; imparfait : *que je dusse, qu'elle dût, qu'ils dussent* ; passé : *que j'aie dû* ; plus-que-parfait : *que j'eusse dû.*
CONDITIONNEL : présent : *je devrais* ; passé 1re forme : *j'aurais dû* ; passé 2e forme : *j'eusse dû.*
IMPÉRATIF présent : *dois, devons, devez.*
PARTICIPE : présent : *devant* ; passé : *dû (dus), due (dues).*

DIRE

INDICATIF : présent : *je dis, il dit, nous disons* ; imparfait : *je disais* ; passé simple : *je dis, elles dirent* ; futur simple : *je dirai* ; passé composé : *j'ai dit* ; plus-que-parfait : *j'avais dit* ; passé antérieur : *j'eus dit* ; futur antérieur : *j'aurai dit.*

SUBJONCTIF : présent : *que je dise, que nous disions* ; imparfait : *que je disse, qu'elle disse, que nous dissions* ; passé : *que j'aie dit* ; plus-que-parfait : *que j'eusse dit.*
CONDITIONNEL : présent : *je dirais* ; passé 1re forme : *j'aurais dit* ; passé 2e forme : *j'eusse dit.*
IMPÉRATIF présent : *dis, disons, dites.*
PARTICIPE : présent : *disant* ; passé : *dit.*

DISSOUDRE

Se conjugue comme ABSOUDRE.

DISTRAIRE

Se conjugue comme TRAIRE.

DORMIR

INDICATIF : présent : *je dors, il dort, nous dormons* ; imparfait : *je dormais* ; passé simple : *je dormis* ; futur simple : *je dormirai* ; passé composé : *j'ai dormi* ; plus-que-parfait : *j'avais dormi* ; passé antérieur : *j'eus dormi* ; futur antérieur : *j'aurai dormi.*
SUBJONCTIF : présent : *que je dorme, que nous dormions* ; imparfait : *que je dormisse, qu'elle dormît, que nous dormissions* ; passé : *que j'aie dormi* ; plus-que-parfait : *que j'eusse dormi.*
CONDITIONNEL : présent : *je dormirais* ; passé 1re forme : *j'aurais dormi* ; passé 2e forme : *j'eusse dormi.*
IMPÉRATIF présent : *dors, dormons, dormez.*
PARTICIPE : présent : *dormant* ; passé : *dormi.*

ÉCLORE

Se conjugue comme CLORE.

ÉCRIRE

INDICATIF : présent : *j'écris, il écrit, nous écrivons* ; imparfait : *j'écrivais* ; passé simple : *j'écrivis, elles écrivirent* ; futur simple : *j'écrirai* ; passé composé : *j'ai écrit* ; plus-que-parfait : *j'avais écrit* ; passé antérieur : *j'eus écrit* ; futur antérieur : *j'aurai écrit.*

SUBJONCTIF : présent : *que j'écrive, que nous écrivions* ; imparfait : *que j'écrivisse, qu'elle écrivît, que nous écrivissions* ; passé : *que j'aie écrit* ; plus-que-parfait : *que j'eusse écrit.*

CONDITIONNEL : présent : *j'écrirais* ; passé 1re forme : *j'aurais écrit* ; passé 2e forme : *j'eusse écrit.*

IMPÉRATIF présent : *écris, écrivons, écrivez.*

PARTICIPE : présent : *écrivant* ; passé : *écrit.*

ÉLIRE

Se conjugue comme LIRE.

ÉMETTRE

Se conjugue comme METTRE.

ÉMOUVOIR

Ce verbe se conjugue comme MOUVOIR, mais le participe passé, *ému*, n'a pas d'accent circonflexe.

EMPREINDRE

Se conjugue comme CRAINDRE.

ENDUIRE

Se conjugue comme CONDUIRE.

ENFREINDRE

Se conjugue comme PEINDRE.

ENQUÉRIR (S')

Se conjugue comme ACQUÉRIR.

ENSUIVRE (S')

Se conjugue comme SUIVRE, mais ne s'utilise qu'à la 3e personne du singulier et du pluriel : *il s'ensuit, ils s'ensuivirent.*

ENVOYER

INDICATIF : présent : *j'envoie, il envoit, nous envoyons, ils envoient* ; imparfait : *j'envoyais, nous envoyions* ; passé simple : *j'envoyai, elles envoyèrent* ; futur simple : *j'enverrai, nous enverrons* ; passé composé : *j'ai envoyé* ; plus-que-parfait : *j'avais envoyé* ; passé antérieur : *j'eus envoyé* ; futur antérieur : *j'aurai envoyé*.

SUBJONCTIF : présent : *que j'envoie, que nous envoyions* ; imparfait : *que j'envoyasse, que nous envoyassions* ; passé : *que j'aie envoyé* ; plus-que-parfait : *que j'eusse envoyé*.

CONDITIONNEL : présent : *j'enverrais, nous enverrions* ; passé 1re forme : *j'aurais envoyé* ; passé 2e forme : *j'eusse envoyé*.

IMPÉRATIF présent : *envoie, envoyons, envoyez*.

PARTICIPE : présent : *envoyant* ; passé : *envoyé*.

ÉQUIVALOIR

Se conjugue comme VALOIR.

ÉTEINDRE

Se conjugue comme PEINDRE.

ÉTREINRE

Se conjugue comme PEINDRE.

EXCLURE

Se conjugue comme CONCLURE.

FAILLIR

INDICATIF : présent : peu usité ; imparfait : peu usité ; passé simple : *je faillis* ; futur simple : *je faillirai* ; passé composé : *j'ai failli* ; plus-que-parfait : *j'avais failli* ; passé antérieur : *j'eus failli* ; futur antérieur : *j'aurai failli*.

SUBJONCTIF : présent : peu usité ; imparfait : *que je*

faillisse, qu'elle faillît, que nous faillissions ; passé : *que j'aie failli* ; plus-que-parfait : *que j'eusse failli.*
CONDITIONNEL : présent : *je faillirais* ; passé 1re forme : *j'auraisfailli* ; passé 2e forme : *j'eusse failli.*
IMPÉRATIF présent : inusité.
PARTICIPE : présent : *faillant* ; passé : *failli.*

FAIRE
INDICATIF : présent : *je fais, il fait, nous faisons* ; imparfait : *je faisais* ; passé simple : *je fis* ; futur simple : *je ferai* ; passé composé : *j'ai fait* ; plus-que-parfait : *j'avais fait* ; passé antérieur : *j'eus fait* ; futur antérieur : *j'aurai fait.*
SUBJONCTIF : présent : *que je fasse, que nous fassions* ; imparfait : *que je fisse, qu'elle fît, que nous fissions* ; passé : *que j'aie fait* ; plus-que-parfait : *que j'eusse fait.*
CONDITIONNEL : présent : *je ferais* ; passé 1re forme : *j'aurais fait* ; passé 2e forme : *j'eusse fait.*
IMPÉRATIF présent : *fais, faisons, faites.*
PARTICIPE : présent : *faisant* ; passé : *fait.*

FALLOIR
INDICATIF : présent : *il faut* ; imparfait : *il fallait* ; passé simple : *il fallut* ; futur simple : il faudra ; passé composé : *il a fallu* ; plus-que-parfait : *il avait fallu* ; passé antérieur : *il eut fallu* ; futur antérieur : *il aura fallu.*
SUBJONCTIF : présent : *qu'il faille* ; imparfait : *qu'il fallût* ; passé : *qu'il ait fallu* ; plus-que-parfait : *qu'il eût fallu.*
CONDITIONNEL : présent : *il faudrait* ; passé 1re forme : *il aurait fallu* ; passé 2e forme : *il eût fallu.*
IMPÉRATIF présent : *fais, faisons, faites*
PARTICIPE : présent : inusité ; passé : *fallu.*

FRIRE
INDICATIF : présent (usité à la 1re, 2e et 3e pers. du

singulier) : *je fris, tu fris, il frit* ; imparfait : inusité ; passé simple : inusité ; futur simple : *je frirai* ; passé composé : *j'ai frit* ; plus-que-parfait : *j'avais frit* ; passé antérieur : *j'eus frit* ; futur antérieur : *j'aurai frit.*

SUBJONCTIF : présent : inusité ; imparfait : inusité ; passé : *que j'aie frit* ; plus-que-parfait : *que j'eusse frit.*

CONDITIONNEL : présent : *je frirais, nous faririons* ; passé 1re forme : *j'aurais frit* ; passé 2e forme : *j'eusse frit.*

IMPÉRATIF présent : *fris.*

PARTICIPE : inusité.

☞ Remarque : on remplace les temps et les personnes qui ne sont pas utilisés en plaçant le verbe *faire* devant l'infinitif *frire* :

nous faisons frire – faites frire.

FUIR

INDICATIF : présent : *je fuis, nous fuyons, vous fuyez, ils fuient* ; imparfait : *je fuyais, tu fuyais, il fuyait, nous fuyions, vous fuyiez, ils fuyaient* ; passé simple : *je fuis, nous fuîmes* ; futur simple : *je fuirai* ; passé composé : *j'ai fui* ; plus-que-parfait : *j'avais fui* ; passé antérieur : *j'eus fui* ; futur antérieur : *j'aurai fui.*

SUBJONCTIF : présent : *que je fuie, qu'il fuie, que nous fuyions, que vous fuyiez, qu'ils fuient* ; imparfait : *que je fuisse, qu'elle fuît, que nous fuissions* ; passé : *que j'aie fui* ; plus-que-parfait : *que j'eusse fui.*

CONDITIONNEL : présent : *je fuirais* ; passé 1re forme : *j'aurais fui* ; passé 2e forme : *j'eusse fui.*

IMPÉRATIF présent : *fuis, fuyons, fuyez.*

PARTICIPE : présent : *fuyant* ; passé : *fui.*

GEINDRE

Se conjugue comme CRAINDRE.

INSTRUIRE

Se conjugue comme CONDUIRE.

INTERDIRE

Se conjugue comme DIRE, excepté à la 2e pers. du pluriel de l'indicatif présent *(vous interdisez)* et de l'impératif *(interdisez)*.

JOINDRE

INDICATIF : présent : *je joins, il joint, nous joignons, vous joignez, ils joignent* ; imparfait : *je joignais, il joignait, nous joignions, vous joigniez, ils joigniaient* ; passé simple : *je joignis, il joignit, nous joignîmes* ; futur simple : *je joindrai, nous joindrons* ; passé composé : *j'ai joint* ; plus-que-parfait : *j'avais joint* ; passé antérieur : *j'eus joint* ; futur antérieur : *j'aurai joint.*
SUBJONCTIF : présent : *que je joigne, qu'il joigne, que nous joignions, que vous joigniez, qu'ils joignent* ; imparfait : *que je joignisse, qu'elle joignît, que nous joignissions, que vous joignissiez, qu'elles joignissent* ; passé : *que j'aie joint* ; plus-que-parfait : *que j'eusse joint.*
CONDITIONNEL : présent : *je joindrais, nous joindrions* ; passé 1re forme : *j'aurais joint* ; passé 2e forme : *j'eusse joint.*
IMPÉRATIF présent : *joins, joignons, joignez.*
PARTICIPE : présent : *joignant* ; passé : *joint.*

LIRE

INDICATIF : présent : *je lis, il lit, nous lisons, vous lisez, ils lisent* ; imparfait : *je lisais, il lisait, nous lisions, ils lisaient* ; passé simple : *je lus, il lut, nous lûmes, vous lûtes, ils lurent* ; futur simple : *je lirai, nous lirons* ; passé composé : *j'ai lu* ; plus-que-parfait : *j'avais lu* ; passé antérieur : *j'eus lu* ; futur antérieur : *j'aurai lu.*
SUBJONCTIF : présent : *que je lise, qu'il lise, que nous*

lisions ; imparfait : *que je lusse, qu'elle lût, que nous lussions, qu'ils lussent* ; passé : *que j'aie lu* ; plus-que-parfait : *que j'eusse lu.*
CONDITIONNEL : présent : *je lirais* ; passé 1re forme : *j'aurais lu* ; passé 2e forme : *j'eusse lu.*
IMPÉRATIF présent : *lis, lisons, lisez.*
PARTICIPE : présent : *lisant* ; passé : *lu.*

LUIRE

Se conjugue comme CONDUIRE, mais ne s'utilise pas au passé simple et à l'imparfait du subjonctif. Participe passé : *lui.*

MAUDIRE

INDICATIF : présent : *je maudis, nous maudissons* ; imparfait : *je maudissais* ; passé simple : *je maudis, nous maudîmes* ; futur simple : *je maudirai* ; passé composé : *j'ai maudit* ; plus-que-parfait : *j'avais maudit* ; passé antérieur : *j'eus maudit* ; futur antérieur : *j'aurai maudit.*
SUBJONCTIF : présent : *que je maudisse, que nous maudissions* ; imparfait : *que je maudisse, que nous maudissions* ; passé : *que j'aie maudit* ; plus-que-parfait : *que j'eusse maudit.*
CONDITIONNEL : présent : *je maudirais* ; passé 1re forme : *j'aurais maudit* ; passé 2e forme : *j'eusse maudit.*
IMPÉRATIF présent : *maudis, maudissons, maudissez.*
PARTICIPE : présent : *maudissant* ; passé : *maudit.*

MÉDIRE

Se conjugue comme DIRE, excepté à la 2e pers. du pluriel de l'indicatif présent *(vous médisez)* et de l'impératif *(médisez).*

MENTIR

INDICATIF : présent : *je mens, nous mentons* ; imparfait : *je mentais* ; passé simple : *je mentis, nous mentîmes* ; futur simple : *je mentirai* ; passé composé : *j'ai menti* ; plus-que-parfait : *j'avais menti* ; passé antérieur : *j'eus menti* ; futur antérieur : *j'aurai menti.*
SUBJONCTIF : présent : *que je mente, que nous mentions* ; imparfait : *que je mentisse, que nous mentissions* ; passé : *que j'aie menti* ; plus-que-parfait : *que j'eusse menti.*
CONDITIONNEL : présent : *je mentirais* ; passé 1re forme : *j'aurais menti* ; passé 2e forme : *j'eusse menti.*
IMPÉRATIF présent : *mens, mentons, mentez.*
PARTICIPE : présent : *mentant* ; passé : *menti.*

METTRE

INDICATIF : présent : *je mets, nous mettons* ; imparfait : *je mettais* ; passé simple : *je mis, elle mît, nous mîmes, ils mirent* ; futur simple : *je mettrai, nous mettrons* ; passé composé : *j'ai mis* ; plus-que-parfait : *j'avais mis* ; passé antérieur : *j'eus mis, nous eûmes mis* ; futur antérieur : *j'aurai mis.*
SUBJONCTIF : présent : *que je mette, que nous mettions* ; imparfait : *que je misse, qu'elle mît, que nous missions* ; passé : *que j'aie mis* ; plus-que-parfait : *que j'eusse mis.*
CONDITIONNEL : présent : *je mettrais, nous mettrons* ; passé 1re forme : *j'aurais mis* ; passé 2e forme : *j'eusse mis, nous eussions mis.*
IMPÉRATIF présent : *mets, mettons, mettez.*
PARTICIPE : présent : *mettant* ; passé : *mis*

MOUDRE

INDICATIF : présent : *je mouds, il moud, nous moulons, vous moulez, ils moulent* ; imparfait : *je moulais, il moulait, nous moulions* ; passé simple : *je moulus, il mou-*

lut, nous moulûmes ; futur simple : *je moudrai* ; passé composé : *j'ai moulu* ; plus-que-parfait : *j'avais moulu* ; passé antérieur : *j'eus moulu* ; futur antérieur : *j'aurai moulu*.
SUBJONCTIF : présent : *que je moule, qu'elle moule, que nous moulions* ; imparfait : *que je moulusse, qu'il moulût, que nous moulussions* ; passé : *que j'aie moulu* ; plus-que-parfait : *que j'eusse moulu*.
CONDITIONNEL : présent : *je moudrais* ; passé 1re forme : *j'aurais moulu* ; passé 2e forme : *j'eusse moulu*.
IMPÉRATIF présent : *mouds, moulons, moulez*.
PARTICIPE : présent : *moulant* ; passé : *moulu*.

MOURIR

INDICATIF : présent : *je meurs, il meurt, nous mourons* ; imparfait : *je mourais* ; passé simple : *je mourus, il mourût, nous mourûmes* ; futur simple : *je mourrai* ; passé composé : *je suis mort(e), nous sommes morts(es)* ; plus-que-parfait : *j'étais mort(e), nous étions morts(es)* ; passé antérieur : *je suis mort(e), nous fûmes morts(es)* ; futur antérieur : *je serai mort(e), nous serons morts(es)*.
SUBJONCTIF : présent : *que je meure, qu'il meure, que nous mourions, qu'ils meurent* ; imparfait : *que je mourusse, que nous mourussions* ; passé : *que je sois mort(e)* ; plus-que-parfait : *que je fusse mort(e)*.
CONDITIONNEL : présent : *je mourrais, nous mourrions* ; passé 1re forme : *je serais mort(e)* ; passé 2e forme : *je fusse mort(e)*.
IMPÉRATIF présent : *meurs, mourons, mourez*.
PARTICIPE : présent : *mourant* ; passé : *mort*.

MOUVOIR

INDICATIF : présent : *je meus, elle meut, nous mouvons, elles meuvent* ; imparfait : *je mouvais, nous mouvions* ;

passé simple : *je mus, il mut, nous mûmes* ; futur simple : *je mouvrai, il mouvra, nous mouvrons* ; passé composé : *j'ai mû, nous avons mû* ; plus-que-parfait : *j'avais mû* ; passé antérieur : *j'eus mû* ; futur antérieur : *j'aurai mû*.

SUBJONCTIF : présent : *que je meuve, qu'il meuve, que nous mouvions, qu'ils meuvent* ; imparfait : *que je musse, que nous mussions* ; passé : *que j'aie mû* ; plus-que-parfait : *que j'eusse mû*.

CONDITIONNEL : présent : *je mouvrais, nous mouvrions, ils mouvraient* ; passé 1re forme : *j'aurais mû* ; passé 2e forme : *j'eusse mû*.

IMPÉRATIF présent : *meus, mouvons, mouvez*.

PARTICIPE : présent : *mouvant* ; passé : *mû, mue*.

NAÎTRE

INDICATIF : présent : *je nais, il naît, nous naissons, ils naissent* ; imparfait : *je naissais, nous naissions* ; passé simple : *je naquis, il naquît, nous naquîmes* ; futur simple : *je naîtrai* ; passé composé : *je suis né* ; plus-que-parfait : *j'étais né* ; passé antérieur : *je fus né* ; futur antérieur : *je serai né*.

SUBJONCTIF : présent : *que je naisse, que nous naissions* ; imparfait : *que je naquisse, qu'il naquît, que nous naquissions* ; passé : *que je sois né* ; plus-que-parfait : *que je fusse né*.

CONDITIONNEL : présent : *je naîtrais* ; passé 1re forme : *je serais né* ; passé 2e forme : *je fusse né*.

IMPÉRATIF présent : *nais, naissons, naissez*.

PARTICIPE : présent : *naissant* ; passé : *né*.

NUIRE

INDICATIF : présent : *je nuis, nous nuisons, ils nuisent* ; imparfait : *je nuisais, nous nuisions, ils nuisaient* ; passé simple : *je nuisis, il nuisit, nous nuisîmes* ; futur simple :

je nuirai ; passé composé : *j'ai nuit, nous avons nuit* ; plus-que-parfait : *j'avais nuit* ; passé antérieur : *j'eus nuit* ; futur antérieur : *j'aurai nuit.*
SUBJONCTIF : présent : *que je nuise, que nous nuisions* ; imparfait : *que je nuisisse, que nous nuisissions* ; passé : *que j'aie nuit* ; plus-que-parfait : *que j'eusse nuit.*
CONDITIONNEL : présent : *je nuirais* ; passé 1re forme : *j'aurais nuit* ; passé 2e forme : *j'eusse nuit.*
IMPÉRATIF présent : *nuis, nuisons, nuisez.*
PARTICIPE : présent : *nuisant* ; passé : *nuit.*

OFFRIR
INDICATIF : présent : *j'offre, nous offrons* ; imparfait : *j'offrais, nous offrions* ; passé simple : *j'offris, nous offrîmes* ; futur simple : *j'offrirai* ; passé composé : *j'ai offert* ; plus-que-parfait : *j'avais offert* ; passé antérieur : *j'eus offert* ; futur antérieur : *j'aurai offert.*
SUBJONCTIF : présent : *que j'offre, que nous offrions* ; imparfait : *que j'offrisse, que nous offrissions* ; passé : *que j'aie offert* ; plus-que-parfait : *que j'eusse offert.*
CONDITIONNEL : présent : *j'offrirais* ; passé 1re forme : *j'aurais offert* ; passé 2e forme : *j'eusse offert.*
IMPÉRATIF présent : *offre, offrons, offrez.*
PARTICIPE : présent : *offrant* ; passé : *offert.*

OUVRIR
INDICATIF : présent : *j'ouvre, nous ouvrons* ; imparfait : *j'ouvrais, nous ouvrions* ; passé simple : *j'ouvris, nous ouvrîmes* ; futur simple : *j'ouvrirai* ; passé composé : *j'ai ouvert* ; plus-que-parfait : *j'avais ouvert* ; passé antérieur : *j'eus ouvert* ; futur antérieur : *j'aurai ouvert.*
SUBJONCTIF : présent : *que j'ouvre, que nous ouvrions* ; imparfait : *que j'ouvrisse, que nous ouvrissions* ; passé : *que j'aie ouvert* ; plus-que-parfait : *que j'eusse ouvert.*
CONDITIONNEL : présent : *j'ouvrirais* ; passé 1re forme :

j'aurais ouvert ; passé 2e forme : *j'eusse ouvert.*
IMPÉRATIF présent : *ouvre, ouvrons, ouvrez.*
PARTICIPE : présent : *ouvrant* ; passé : *ouvert.*

PAÎTRE

INDICATIF : présent : *je pais, tu pais, il paît, nous paissons, vous paissez, ils paissent* ; imparfait : *je paissais, tu paissais, il paissait, nous paissions, vous paissiez, ils paissaient* ; passé simple : inusité ; futur simple : *je paîtrai, tu paîtras, il paîtra, nous paîtrons, vous paîtrez, ils paîtront* ; passé composé : inusité ; plus-que-parfait : inusité ; passé antérieur : inusité ; futur antérieur : inusité.
SUBJONCTIF : présent : *que je paisse, que tu paisses, qu'il paisse, que nous paissions, que vous paissiez, qu'ils paissent* ; imparfait : inusité ; passé : inusité ; plus-que-parfait : inusité.
CONDITIONNEL : présent : *je paîrais, tu paîtrais, il paîtrait, nous paîtrions, vous paîtriez, ils paîtraient* ; passé 1re forme : inusité ; passé 2e forme : inusité.
IMPÉRATIF présent : *pais, paissez.*
PARTICIPE : présent : *paissant* ; passé : inusité.

PARAÎTRE

INDICATIF : présent : *je parais, elle paraît, nous paraissons, vous paraissez, elles paraissent* ; imparfait : *je paraissais, il paraissait, nous paraissions, ils paraissaient* ; passé simple : *je parus, il parut, nous parûmes, ils parurent* ; futur simple : *je paraîtrai, nous paraîtrons* ; passé composé : *j'ai paru, nous avons paru* ; plus-que-parfait : *j'avais paru* ; passé antérieur : *j'eus paru* ; futur antérieur : *j'aurai paru.*
SUBJONCTIF : présent : *que je paraisse, qu'il paraisse, que nous paraissions, qu'ils paraissent* ; imparfait : *que je parusse, qu'il parût, que nous parussions* ; passé : *que j'aie paru* ; plus-que-parfait : *que j'eusse paru.*

CONDITIONNEL : présent : *je paraîtrais, nous paraîtrions* ; passé 1re forme : *j'aurais paru* ; passé 2e forme : *j'eusse paru.*
IMPÉRATIF présent : *parais, paraissons, paraissez.*
PARTICIPE : présent : *paraissant* ; passé : *paru.*

PARTIR
INDICATIF : présent : *je pars, elle part, nous partons* ; imparfait : *je partais, nous partions* ; passé simple : *je partis, nous partîmes* ; futur simple : *je partirai, nous partirons* ; passé composé : *je suis parti(e), nous sommes parti(e)s* ; plus-que-parfait : *j'étais parti(e), nous étions parti(e)s* ; passé antérieur : *je fus parti(e), nous fûmes parti(e)s* ; futur antérieur : *je serai parti(e)s, nous serons parti(e)s.*
SUBJONCTIF : présent : *que je parte, que nous partions* ; imparfait : *que je partisse, que nous partissions* ; passé : *que je sois parti(e), que nous soyons parti(e)s* ; plus-que-parfait : *que je fusse parti(e), que nous fussions parti(e)s.*
CONDITIONNEL : présent : *je partirais, nous partirions* ; passé 1re forme : *je serais parti(e), nous serions parti(e)s* ; passé 2e forme : *je fusse parti(e), nous fussions parti(e)s.*
IMPÉRATIF présent : *pars, partons, partez.*
PARTICIPE : présent : *partant* ; passé : *parti (partis), partie (parties).*

PEINDRE
INDICATIF : présent : *je peins, elle peint, nous peignons, vous peignez, ils peignent* ; imparfait : *je peignais, il peignait, nous peignions* ; passé simple : *je peignis, il peignit, nous peignîmes* ; futur simple : *je peindrai, nous peindrons* ; passé composé : *j'ai peint, nous avons peint* ; plus-que-parfait : *j'avais peint, nous avions*

peint ; passé antérieur : *j'eus peint, nous eûmes peint* ; futur antérieur : *j'aurai peint, nous aurons peint.*
SUBJONCTIF : présent : *que je peigne, qu'il peigne, que nous peignions, qu'ils peignent* ; imparfait : *que je peignisse, qu'il peignît, que nous peignissions* ; passé : *que j'aie peint, que nous ayons peint* ; plus-que-parfait : *que j'eusse peint, que nous eussions peint.*
CONDITIONNEL : présent : *je peindrais, nous peindrions* ; passé 1re forme : *j'aurais peint, nous aurions peint* ; passé 2e forme : *j'eusse peint, nous eussions peint.*
IMPÉRATIF présent : *peins, peignons, peignez.*
PARTICIPE : présent : *peignant* ; passé : *peint.*

PLAINDRE
INDICATIF : présent : *je plains, nous plaignons, vous plaignez, ils plaignent* ; imparfait : *je plaignais, il plaignait, nous plaignions, ils plaignaient* ; passé simple : *je plaignis, il plaignit, nous plaignîmes, ils plaignirent* ; futur simple : *je plaindrai, nous plaindrons* ; passé composé : *j'ai plaint, nous avons plaint* ; plus-que-parfait : *j'avais plaint, nous avions plaint* ; passé antérieur : *j'eus plaint, nous eûmes plaint* ; futur antérieur : *j'aurai plaint, nous aurons plaint.*
SUBJONCTIF : présent : *que je plaigne, qu'il plaigne, que nous plaignions, qu'ils plaignent* ; imparfait : *que je plaignisse, qu'il plaignît, que nous plaignissions* ; passé : *que j'aie plaint, que nous ayons plaint* ; plus-que-parfait : *que j'eusse plaint, que nous eussions plaint.*
CONDITIONNEL : présent : *je plaindrais, nous plaindrions* ; passé 1re forme : *j'aurais plaint, nous aurions plaint* ; passé 2e forme : *j' eusse plaint, nous eussions plaint.*
IMPÉRATIF présent : *plains, plaignons, plaignez.*
PARTICIPE : présent : *plaignant* ; passé : *plaint.*

PLAIRE

INDICATIF : présent : *je plais, elle plaît, nous plaisons, ils plaisent* ; imparfait : *je plaisais, il plaisait, nous plaisions* ; passé simple : *je plus, il plut, nous plûmes, ils plurent* ; futur simple : *je plairai, nous plairons* ; passé composé : *j'ai plu, nous avons plu* ; plus-que-parfait : *j'avais plu, nous avions plu* ; passé antérieur : *j'eus plu, nous eûmes plu* ; futur antérieur : *j'aurai plu, nous aurons plu.*

SUBJONCTIF : présent : *que je plaise, qu'il plaise, que nous plaisions* ; imparfait : *que je plusse, qu'il plût, que nous plussions* ; passé : *que j'aie plu, que nous ayons plu* ; plus-que-parfait : *que j'eusse plu, que nous eussions plu.*

CONDITIONNEL : présent : *je plairais, nous plairions* ; passé 1re forme : *j'aurais plu, nous aurions plu* ; passé 2e forme : *j'eusse plu, nous eussions plu.*

IMPÉRATIF présent : *plais, plaisons, plaisez.*

PARTICIPE : présent : *plaisant* ; passé : *plu.*

PLEUVOIR

INDICATIF : présent : *il pleut* ; imparfait : *il pleuvait* ; passé simple : *il plut* ; futur simple : *il pleuvra* ; passé composé : *il a plu* ; plus-que-parfait : *il avait plu* ; passé antérieur : *il eut plu* ; futur antérieur : *il aura plu.*

SUBJONCTIF : présent : *qu'il pleuve* ; imparfait : *qu'il plût* ; passé : *qu'il ait plu* ; plus-que-parfait : *qu'il eût plu.*

CONDITIONNEL : présent : *il pleuvrait* ; passé 1re forme : *il aurait plu* ; passé 2e forme : *il eût plu.*

PARTICIPE : présent : *pleuvant* ; passé : *plu.*

POURVOIR

INDICATIF : présent : *je pourvois, elle pourvoit, nous pourvoyons, ils pourvoient* ; imparfait : *je pourvoyais,*

nous pourvoyions ; passé simple : *je pourvus, il pourvut, nous pourvûmes, ils pourvurent* ; futur simple : *je pourvoirai, nous pourvoirons* ; passé composé : *j'ai pourvu* ; plus-que-parfait : *j'avais pourvu* ; passé antérieur : *j'eus pourvu* ; futur antérieur : *j'aurai pourvu.*
SUBJONCTIF : présent : *que je pourvoie, qu'il pourvoie, que nous pourvoyions* ; imparfait : *que je pourvusse, qu'il pourvût, que nous pourvussions* ; passé : *que j'aie pourvu* ; plus-que-parfait : *que j'eusse pourvu.*
CONDITIONNEL : présent : *je pourvoirais, nous pourvoirions* ; passé 1re forme : *j'aurais pourvu, nous aurions pourvu* ; passé 2e forme : *j'eusse pourvu.*
IMPÉRATIF : *pourvois, pourvoyons, pourvoyez.*
PARTICIPE : présent : *pourvoyant* ; passé : *pourvu.*

POUVOIR
INDICATIF : présent : *je peux, tu peux, elle peut, nous pouvons, ils peuvent* ; imparfait : *je pouvais, nous pouvions* ; passé simple : *je pus, il put, nous pûmes, ils purent* ; futur simple : *je pourrai, il pourra, nous pourrons* ; passé composé : *j'ai pu* ; plus-que-parfait : *j'avais pu* ; passé antérieur : *j'eus pu* ; futur antérieur : *j'aurai pu.*
SUBJONCTIF : présent : *que je puisse, qu'il puisse, que nous puissions* ; imparfait : *que je pusse, qu'il pût, que nous puissions* ; passé : *que j'aie pu* ; plus-que-parfait : *que j'eusse pu.*
CONDITIONNEL : présent : *je pourrais, nous pourrions* ; passé 1re forme : *j'aurais pu, nous aurions pu* ; passé 2e forme : *j'eusse pu.*
IMPÉRATIF : pas d'impératif.
PARTICIPE : présent : *pouvant* ; passé : *pu.*

PRÉDIRE
Se conjugue comme DIRE, sauf à la 2e pers. du pluriel

de l'indicatif présent *(vous prédisiez)* et de l'impératif *(prédisez)*.

PRENDRE

INDICATIF : présent : *je prends, nous prenons* ; imparfait : *je prenais, nous prenions* ; passé simple : *je pris, il prit, nous prîmes, ils prirent* ; futur simple : *je prendrai, nous prendrons* ; passé composé : *j'ai pris* ; plus-que-parfait : *j'avais pris* ; passé antérieur : *j'eus pris* ; futur antérieur : *j'aurai pris*.
SUBJONCTIF : présent : *que je prenne, qu'il prenne, que nous prenions* ; imparfait : *que je prisse, qu'il prît, que nous prissions* ; passé : *que j'aie pris* ; plus-que-parfait : *que j'eusse pris*.
CONDITIONNEL : présent : *je prendrais, nous prendrions* ; passé 1re forme : *j'aurais pris, nous aurions pris* ; passé 2e forme : *j'eusse pris*.
IMPÉRATIF : *prends, prenons, prenez*.
PARTICIPE : présent : *prenant* ; passé : *pris*.

PRÉVOIR

Se conjugue comme VOIR, sauf au futur simple *(je prévoirai, nous prévoirons)* et au conditionnel présent *(je prévoirais, nous prévoirions)*.

PROMOUVOIR

Se conjugue comme MOUVOIR, sauf au participe passé : *promu*.

REDIRE

Se conjugue comme DIRE.

REFAIRE

Se conjugue comme FAIRE.

RÉSOUDRE

INDICATIF : présent : *je résous, il résout, nous résolvons,*

ils résolvent ; imparfait : *je résolvais, nous résolvions, ils résolvaient* ; passé simple : *je résolus, il résolut, nous résolûmes, ils résolurent* ; futur simple : *je résoudrai, nous résoudrons* ; passé composé : *j'ai résolu* ; plus-que-parfait : *j'avais résolu* ; passé antérieur : *j'eus résolu* ; futur antérieur : *j'aurai résolu.*
SUBJONCTIF : présent : *que je résolve, qu'il résolve, que nous résolvions* ; imparfait : *que je résolusse, qu'il résolût, que nous résolussions* ; passé : *que j'aie résolu* ; plus-que-parfait : *que j'eusse résolu.*
CONDITIONNEL : présent : *je résoudrais, nous résoudrions* ; passé 1re forme : *j'aurais résolu* ; passé 2e forme : *j'eusse résolu.*
IMPÉRATIF présent : *résous, résolvons, résolvez.*
PARTICIPE : présent : *résolvant* ; passé : *résolu.*

RIRE

INDICATIF : présent : *je ris, nous rions* ; imparfait : *je riais, nous riions* ; passé simple : *je ris, nous rîmes* ; futur simple : *je rirai, nous rirons* ; passé composé : *j'ai ri* ; plus-que-parfait : *j'avais ri* ; passé antérieur : *j'eus ri* ; futur antérieur : *j'aurai ri.*
SUBJONCTIF : présent : *que je rie, qu'il rie, que nous riions* ; imparfait : *que je risse, que nous rissions* ; passé : *que j'aie ri* ; plus-que-parfait : *que j'eusse ri.*
CONDITIONNEL : présent : *je rirais, nous ririons* ; passé 1re forme : *j'aurais ri* ; passé 2e forme : *j'eusse ri.*
IMPÉRATIF présent : *ris, rions, riez.*
PARTICIPE : présent : *riant* ; passé : *ri.*

RENVOYER

Se conjugue comme ENVOYER.

REPAÎTRE

Se conjugue comme PAÎTRE, mais se conjugue aussi à tous les temps composés, alors que PAÎTRE ne se conjugue qu'aux temps simples.

SATISFAIRE

Se conjugue comme FAIRE.

SAVOIR

INDICATIF : présent : *je sais, nous savons* ; imparfait : *je savais, nous savions* ; passé simple : *je sus, il sut, nous sûmes* ; futur simple : *je saurai, nous saurons* ; passé composé : *j'ai su* ; plus-que-parfait : *j'avais su* ; passé antérieur : *j'eus su* ; futur antérieur : *j'aurai su.*
SUBJONCTIF : présent : *que je sache, qu'il sache, que nous sachions* ; imparfait : *que je susse, que nous sussions* ; passé : *que j'aie su* ; plus-que-parfait : *que j'eusse su.*
CONDITIONNEL : présent : *je saurais, nous saurions* ; passé 1re forme : *j'aurais su* ; passé 2e forme : *j'eusse su.*
IMPÉRATIF présent : *sache, sachons, sachez.*
PARTICIPE : présent : *sachant* ; passé : *su.*

SERVIR

INDICATIF : présent : *je sers, nous servons* ; imparfait : *je servais, nous servions* ; passé simple : *je servis, nous servîmes* ; futur simple : *je servirai, nous servirons* ; passé composé : *j'ai servi* ; plus-que-parfait : *j'avais servi* ; passé antérieur : *j'eus servi* ; futur antérieur : *j'aurai servi.*
SUBJONCTIF : présent : *que je serve, que nous servions* ; imparfait : *que je servisse, que nous servissions* ; passé : *que j'aie servi* ; plus-que-parfait : *que j'eusse servi.*
CONDITIONNEL : présent : *je servirais, nous servirions* ; passé 1re forme : *j'aurais servi* ; passé 2e forme : *j'eusse servi.*
IMPÉRATIF présent : *sers, servons, servez.*
PARTICIPE : présent : *servant* ; passé : *servi.*

SORTIR

Se conjugue comme PARTIR.

SOUFFRIR

Se conjugue comme OUVRIR.

SOUSTRAIRE

INDICATIF : présent : *je soustrais, elle soustrait, nous soustrayons, elles soustraient* ; imparfait : *je soustrayais, il soustrayait, nous soustrayions* ; passé simple : inusité ; futur simple : *je soustrairai, nous soustrairons* ; passé composé : *j'ai soustrait* ; plus-que-parfait : *j'avais soustrait* ; passé antérieur : *j'eus soustrait* ; futur antérieur : *j'aurai soustrait.*
SUBJONCTIF : présent : *que je soustraie, que nous soustrayions* ; imparfait : inusité ; passé : *que j'aie soustrait* ; plus-que-parfait : *que j'eusse soustrait.*
CONDITIONNEL : présent : *je soustrairais, nous soustrairions* ; passé 1re forme : *j'aurais soustrait* ; passé 2e forme : *j'eusse soustrait.*
IMPÉRATIF présent : *soustrais, soustrayons, soustrayez.*
PARTICIPE : présent : *soustrayant* ; passé : *soustrait.*

SUFFIRE

INDICATIF : présent : *je suffis, nous suffisons* ; imparfait : *je suffisais, nous suffisions* ; passé simple : *je suffis, nous suffîmes* ; futur simple : *je suffirai, nous suffirons* ; passé composé : *j'ai suffi ;* plus-que-parfait : *j'avais suffi* ; passé antérieur : *j'eus suffi* ; futur antérieur : *j'aurai suffi.*
SUBJONCTIF : présent : *que je suffise, que nous suffisions* ; imparfait : *que je suffisse, que nous suffissions* ; passé : *que j'aie suffi* ; plus-que-parfait : *que j'eusse suffi.*
CONDITIONNEL : présent : *je suffirais, nous suffirions* ; passé 1re forme : *j'aurais suffi* ; passé 2e forme : *j'eusse*

suffi.
IMPÉRATIF présent : *suffis, suffisons, suffisez.*
PARTICIPE : présent : *suffisant* ; passé : *suffi.*

SUIVRE
INDICATIF : présent : *je suis, nous suivons* ; imparfait : *je suivais, nous suivions* ; passé simple : *je suivis, nous suivîmes* ; futur simple : *je suivrai, nous suivrons* ; passé composé : *j'ai suivi* ; plus-que-parfait : *j'avais suivi* ; passé antérieur : *j'eus suivi* ; futur antérieur : *j'aurai suivi.*
SUBJONCTIF : présent : *que je suive, que nous suivions* ; imparfait : *que je suivisse, que nous suivissions* ; passé : *que j'aie suivi* ; plus-que-parfait : *que j'eusse suivi.*
CONDITIONNEL : présent : *je suivrais, nous suivrions* ; passé 1re forme : *j'aurais suivi* ; passé 2e forme : *j'eus-se suivi.*
IMPÉRATIF présent : *suis, suivons, suivez.*
PARTICIPE : présent : *suivant* ; passé : *suivi.*

SURFAIRE
Se conjugue comme FAIRE.

SURPRENDRE
Se conjugue comme PRENDRE.

SURSEOIR
Se conjugue comme ASSEOIR, mais garde le *-e* au futur simple *(je surseoirai)* et au conditionnel *(je surseoirais).*

SURVIVRE
Se conjugue comme VIVRE.

TAIRE
Se conjugue comme PLAIRE.

TEINDRE
Se conjugue comme PEINDRE.

TENIR

Se conjugue comme VENIR.

TRESSAILLIR

INDICATIF : présent : *je tressaille, nous tressaillons* ; imparfait : *je tressaillais, nous tressaillions* ; passé simple : *je tressaillis, nous tressaillîmes* ; futur simple : *je tressaillirai, nous tressaillirons* ; passé composé : *j'ai tressailli* ; plus-que-parfait : *j'avais tressailli* ; passé antérieur : *j'eus tressailli* ; futur antérieur : *j'aurai tressailli.*

SUBJONCTIF : présent : *que je tressaille, que nous tressaillions* ; imparfait : *que je tressaillisse, que nous tressaillissions* ; passé : *que j'aie tressailli* ; plus-que-parfait : *que j'eusse tressailli.*

CONDITIONNEL : présent : *je tressaillirais, nous tressaillirions* ; passé 1re forme : *j'aurais tressailli* ; passé 2e forme : *j'eusse tressailli.*

IMPÉRATIF présent : *tressaille, tressaillons, tressaillez.*

PARTICIPE : présent : *tressaillant* ; passé : *tressailli.*

VAINCRE

INDICATIF : présent : *je vaincs, il vainc, nous vainquons, ils vainquent* ; imparfait : *je vainquais, il vainquait, nous vainquions* ; passé simple : *je vainquis, il vainquit, nous vainquîmes* ; futur simple : *je vaincrai, nous vaincrons* ; passé composé : *j'ai vaincu* ; plus-que-parfait : *j'avais vaincu* ; passé antérieur : *j'eus vaincu* ; futur antérieur : *j'aurai vaincu.*

SUBJONCTIF : présent : *que je vainque, qu'il vainque, que nous vainquions* ; imparfait : *que je vainquisse, que nous vainquissions* ; passé : *que j'aie vaincu* ; plus-que-parfait : *que j'eusse vaincu.*

CONDITIONNEL : présent : *je vaincrais, nous vaincrions* ; passé 1re forme : *j'aurais vaincu* ; passé 2e forme :

j'eusse vaincu.
IMPÉRATIF présent : *vaincs, vainquons, vainquez.*
PARTICIPE : présent : *vainquant* ; passé : *vaincu.*

VALOIR

INDICATIF : présent : *je vaux, tu vaux, il vaut, nous valons* ; imparfait : *je valais, nous valions* ; passé simple : *je valus, il valut, nous valûmes* ; futur simple : *je vaudrai, il vaudra, nous vaudrons* ; passé composé : *j'ai valu* ; plus-que-parfait : *j'avais valu* ; passé antérieur : *j'eus valu* ; futur antérieur : *j'aurai valu.*
SUBJONCTIF : présent : *que je vaille, qu'il vaille, que nous valions, qu'ils vaillent* ; imparfait : *que je valusse, que nous valussions* ; passé : *que j'aie valu* ; plus-que-parfait : *que j'eusse valu.*
CONDITIONNEL : présent : *je vaudrais, nous vaudrions* ; passé 1re forme : *j'aurais valu* ; passé 2e forme : *j'eusse valu.*
IMPÉRATIF présent : *vaux, valons, valez.*
PARTICIPE : présent : *valant* ; passé : *valu.*

VENIR

INDICATIF : présent : *je viens, il vient, nous venons* ; imparfait : *je venais, nous venions* ; passé simple : *je vins, il vint, nous vînmes, ils vinrent* ; futur simple : *je viendrai, nous viendrons* ; passé composé : *je suis venu, nous sommes venus* ; plus-que-parfait : *j'étais venu, nous étions venus* ; passé antérieur : *je fus venu, nous fûmes venus* ; futur antérieur : *je serai venu, nous serons venus..*
SUBJONCTIF : présent : *que je vienne, qu'il vienne, que nous venions, qu'ils viennent* ; imparfait : *que je vinsse, que nous vinssions* ; passé : *que je sois venu* ; plus-que-parfait : *que je fusse venu.*
CONDITIONNEL : présent : *je viendrais, il viendrait, nous*

viendrions, ils viendraient ; passé 1re forme : *je serais venu* ; passé 2e forme : *je fusse venu.*
IMPÉRATIF présent : *viens, venons, venez.*
PARTICIPE : présent : *venant* ; passé : *venu.*

VÊTIR

INDICATIF : présent : *je vêts, tu vêts, il vêt, nous vêtons* ; imparfait : *je vêtais, nous vêtions* ; passé simple : *je vêtis, nous vêtîmes* ; futur simple : *je vêtirai, nous vêtirons* ; passé composé : *j'ai vêtu* ; plus-que-parfait : *j'avais vêtu* ; passé antérieur : *j'eus vêtu* ; futur antérieur : *j'aurai vêtu.*
SUBJONCTIF : présent : *que je vête, qu'il vête, que nous vêtions* ; imparfait : *que je vêtisse, que nous vêtissions* ; passé : *que j'aie vêtu* ; plus-que-parfait : *que j'eusse vêtu.*
CONDITIONNEL : présent : *je vêtirais, nous vêtirions* ; passé 1re forme : *j'aurais vêtu* ; passé 2e forme : *j'eusse vêtu.*
IMPÉRATIF présent : *vêts, vêtons, vêtez.*
PARTICIPE : présent : *vêtant* ; passé : *vêtu.*

VIVRE

INDICATIF : présent : *je vis, nous vivons* ; imparfait : *je vivais, nous vivions* ; passé simple : *je vécus, il vécut, nous vécûmes* ; futur simple : *je vivrai, nous vivrons* ; passé composé : *j'ai vécu* ; plus-que-parfait : *j'avais vécu* ; passé antérieur : *j'eus vécu* ; futur antérieur : *j'aurai vécu.*
SUBJONCTIF : présent : *que je vive, que nous vivions* ; imparfait : *que je vécusse, qu'il vécût, que nous vécussions* ; passé : *que j'aie vécu* ; plus-que-parfait : *que j'eusse vécu.*
CONDITIONNEL : présent : *je vivrais, nous vivrions* ; passé 1re forme : *j'aurais vécu* ; passé 2e forme : *j'eusse vécu.*

IMPÉRATIF présent : *vis, vivons, vivez.*
PARTICIPE : présent : *vivant* ; passé : *vécu.*

VOIR

INDICATIF : présent : *je vois, nous voyons, vous voyez, ils voient* ; imparfait : *je voyais, nous voyions* ; passé simple : *je vis, il vit, nous vîmes* ; futur simple : *je verrai, nous verrons* ; passé composé : *j'ai vu* ; plus-que-parfait : *j'avais vu* ; passé antérieur : *j'eus vu* ; futur antérieur : *j'aurai vu.*
SUBJONCTIF : présent : *que je voie, qu'il voie, que nous voyions, que vous voyiez, qu'ils voient* ; imparfait : *que je visse, qu'il vît, que nous vissions* ; passé : *que j'aie vu* ; plus-que-parfait : *que j'eusse vu.*
CONDITIONNEL : présent : *je verrais, nous verrions* ; passé 1re forme : *j'aurais vu* ; passé 2e forme : *j'eusse vu.*
IMPÉRATIF présent : *vois, voyons, voyez.*
PARTICIPE : présent : *voyant* ; passé : *vu.*

VOULOIR

INDICATIF : présent : *je veux, tu veux, il veut, nous voulons, ils veulent* ; imparfait : *je voulais, nous voulions* ; passé simple : *je voulus, il voulut, nous voulûmes* ; futur simple : *je voudrai, il voudra, nous voudrons* ; passé composé : *j'ai voulu* ; plus-que-parfait : *j'avais voulu* ; passé antérieur : *j'eus voulu* ; futur antérieur : *j'aurai voulu.*
SUBJONCTIF : présent : *que je veuille, qu'il veuille, que nous voulions, qu'ils veuillent* ; imparfait : *que je voulusse, qu'il voulût, que nous voulussions* ; passé : *que j'aie voulu* ; plus-que-parfait : *que j'eusse voulu.*
CONDITIONNEL : présent : *je voudrais, nous voudrions* ; passé 1re forme : *j'aurais voulu* ; passé 2e forme : *j'eusse voulu.*

IMPÉRATIF présent : *veux (veuille), voulons, voulez (veuillez).*
PARTICIPE : présent : *voulant* ; passé : *voulu*.

8. Accord du verbe

8.1. Règle générale d'accord

Règle générale : le verbe s'accorde toujours en nomb (singulier ou pluriel) et en personne (1re, 2e ou 3e pe sonne) avec le sujet du verbe, qu'il soit claireme exprimé ou qu'il soit sous-entendu.

Nous pourrions aller au cinéma ce soir.

Dans cet exemple, le verbe se met au pluriel parc que le sujet est au pluriel ; il est conjugué à la 1 personne parce que le sujet est à la 1re personne.

Rappel : pour trouver le sujet du verbe dans une phras posez la question *« qui-est-ce-qui ? »*.

8.2. Accord avec un nom collectif

Lorsque le sujet du verbe est un nom collectif suivi d'u complément déterminatif au pluriel, le verbe s'accord soit avec le nom collectif, soit avec le compléme déterminatif, en fonction du sens de la phrase et d l'idée sur laquelle on a voulu insister.

La foule de curieux ***regardait*** *la scène.*

Dans cette phrase, la prédominance revient au nom co lectif *foule*, et non au complément du nom *curieux* ; verbe est donc à la 3e personne du singulier.

Une multitude d'oiseaux ***envahissaient*** *le ciel.*

Une nuée d'insectes ***s'attaquent*** *à la récolte.*

Dans ces deux phrases, c'est sur les compléments d nom *oiseaux* et *insectes* que l'on a voulu insister ; l verbes sont donc à la 3e personne du pluriel.

☞ Remarque : lorsque le sujet d'un verbe est un adve

be de quantité (*beaucoup, la plupart, trop, combien,* etc.), le verbe se met toujours au pluriel :

*Beaucoup l'**ont vu**.*

*La plupart de ses amis l'**accompagnaient**.*

*Combien de candidats **se sont présentés** ?*

Cependant, si l'adverbe de quantité a un sens partitif, c'est-à-dire lorsque il a le sens de « *une certaine quantité de* » *(de la neige, du beau temps, du vin, etc.)*, le verbe est au singulier :

*Peu de pluie **est tombée** aujourd'hui.*

8.3. Accord avec plusieurs sujets

Règle générale : lorsqu'un verbe a plusieurs sujets, il est au pluriel :

*Jean-Claude et Caroline **sont allés** au restaurant hier soir.*

***Luc** et son **frère sont** d'accord.*

***Elles sont parties** tôt ce matin.*

L'emploi de la conjonction de coordination *et* permet ici de considérer que les deux personnes sont d'accord.

Cas particuliers

✓ Lorsqu'un verbe a plusieurs sujets, reliés par *ou* ou *ni*, l'accord du verbe dépend du sens de la phrase :

*Jean-Pierre **ou** son frère **sont** toujours présents au rendez-vous.*

Le verbe est au pluriel car on exprime ici que les deux sont au rendez-vous.

*Jean-Pierre **ou** son frère **viendra** au rendez-vous.*

Le verbe est au singulier car on exprime ici que l'un

ou l'autre viendra ; l'action de *venir* est ici attribuée à un seul sujet.

✓ Si les sujets sont à différentes personnes, le verbe s'accorde, au pluriel, avec la personne qui a la priorité, de la façon suivante :

— S'il y a emploi de la 2e personne et de la 3e personne, le verbe est à la 2e personne du pluriel :

***Lui** et **toi** pouvez partir.*

***Lucie** et **toi** pouvez jouer ensemble dans le jardin.*

— S'il y a emploi de la 1re personne avec la 2e ou 3e personne, le verbe est à la 1re personne du pluriel :

***Jacques** et **moi** voul**ions** acheter ce livre.*

***Toi** et **moi sommes** d'accord.*

***Elle** et **moi** pouv**ons** nous estimer heureux.*

✓ Si les sujets d'un même verbe sont considérés comme équivalents ou se suivent en formant une gradation, le dernier sujet regroupant ainsi les précédents, le verbe s'accorde uniquement avec ce dernier sujet :

*Les enfants, les parents, les amis, **tout le monde** le regard**ait** avec étonnement.*

*Un bruit de pas, une ombre, un courant d'air, **tout** l'effray**ait**.*

✓ Si les sujets d'un même verbe sont reliés par les conjonctions de subordination *comme, ainsi que,* deux cas se présentent :

— Le verbe s'accorde avec le terme précédent la conjonction, si on considère que cette dernière introduit un élément de comparaison :

*La fortune, **comme** la jeunesse, **peut** être fugace.*

— Le verbe s'accorde avec les deux sujets précédant la

conjonction, si on considère que cette dernière est équivalente à la conjonction de coordination *et* :

*La fortune, **comme** la jeunesse, **peuvent** être fugaces.*

8.4. Accord du verbe avec le pronom relatif *qui*

Règle générale : lorsque le verbe a pour sujet le pronom relatif *qui*, le verbe s'accorde en genre et en nombre avec l'antécédent de *qui* :

*C'est **elle** qui **est allée** au rendez-vous.*

*J'ai acheté ce cadeau pour **toi** qui dois venir ce soir.*

*La foule de **spectateurs** qui regard**aient** la course.*

a) Lorsqu'un attribut, se rapportant à un pronom personnel, est placé devant le pronom relatif *qui*, le verbe s'accorde avec l'attribut (et suit donc la règle générale d'accord) :

*Tu es la **personne** qui me compren**d** le mieux.*

L'attribut *personne* règle l'accord du verbe *comprend*, qui est donc à la 3e personne du singulier.

*C'est l'**athlète** qui **a** cour**u** le plus vite dans cette course.*

*Etes-vous la **personne** qui voul**ait** me voir ?*

✘ Rappel : on appelle *attribut* le mot ou l'expression indiquant la qualité attribuée au sujet du verbe, qu'il précise ou complète. L'attribut peut être un nom, un pronom, un adjectif, un verbe ou un mot invariable.

b) Toutefois, lorsque l'attribut est l'un des mots : *dernier, premier, seul, unique*, le verbe s'accorde, soit avec le pronom personnel, soit avec l'attribut.

***Vous** êtes le **premier** qui sachi**ez** répondre à ma question.*

ou

***Vous** êtes le **premier** qui sach**e** répondre à ma question.*

***Tu** es l'**unique** témoin qui pourr**ait** me compromettre.*

ou

***Tu** es l'**unique** témoin qui pourr**ais** témoigner en ma faveur.*

c) Lorsqu'un attribut, se rapportant à un pronom personnel, est précédé d'un article indéfini, le verbe peut s'accorder, soit avec le pronom personnel, soit avec l'attribut :

***Tu** es un bon **conseiller** qui peut m'aider à résoudre ce difficile problème.*

Dans cet exemple, le verbe *pouvoir* s'accorde avec l'attribut *conseiller*

***Je** suis le **technicien** qui **viens** réparer cette machine.*

Le verbe *venir* s'accorde ici avec le pronom personnel *je* et non avec l'attribut *technicien*.

8.5 Accord des verbes impersonnels

Règle générale : dans les verbes impersonnels, le verbe s'accorde avec le pronom neutre *il*, appelé dans ce cas sujet apparent, car le sujet véritable est également présent dans la phrase :

Il restait *quelques* ***abricots*** *sur l'arbre.*

Le sujet apparent est le pronom neutre *il*, le sujet véritable le nom commun *abricots* ; le verbe s'accorde avec *il*.

Il *pleuv**ait*** *des* ***cordes****.*

Il importe *que* ***tu*** *comprennes le sens de cette phrase.*

9. Le participe présent est invariable

✘ Rappel : le participe (présent et passé) employé comme verbe possède deux temps : le présent et le passé.

verbe *manger*
Participe présent : *mange**ant** (terminaison : **-ant**)*
Participe passé : *mangé*.

verbe *regarder*
Participe présent : *regard**ant** (terminaison : **-ant**)*
Participe passé : *regardé*.

Le participe présent employé comme verbe est invariable. Il indique une action présente, passée ou future.

— Il peut être suivi d'un complément d'objet ou d'un complément circonstantiel :

*L'oiseau, **déployant** ses ailes, s'envola au loin.*

*Elle regardait les chevaux **galopant** dans le pré.*

*Il surveillait les enfants **jouant** dans la cour.*

— Lorsqu'il est précédé de *en* , il est appelé **gérondif** ; le gérondif est aussi invariable :

*Elle marchait **en** regard**ant** les passants.*

*Il arriva **en** cour**ant**.*

*Il mangeait des cacahuètes **en** regard**ant** la télévision.*

✘ Attention : le participe présent peut aussi être employé comme **adjectif verbal**.

Il devient alors variable et s'accorde en genre et en nombre avec le nom auquel il se rapporte.

L'adjectif verbal exprime un état, une habitude, une qualité. Il joue le rôle d'un adjectif qualificatif.

*Le soleil **brûlant**.*

Des aventures ***passionnantes****.*

Des rêves ***effrayants****.*

0. Accord du participe passé

10.1. Participe passé sans auxiliaire

Employé sans auxiliaire, le participe passé joue le rôle d'un verbe ou d'un adjectif. Dans les deux cas, il s'accorde en genre et en nombre avec le mot auquel il se rapporte.

Ils sont ***épuisés****.* (attribut)

Il rit à gorge ***déployée****.* (épithète)

Fatigués*, ils s'endormirent immédiatement.* (verbe)

10.2. Participe passé conjugué avec l'auxiliaire *être*

Le participe passé, conjugué avec l'auxiliaire *être*, s'accorde en genre et en nombre avec le sujet :

Ses ***amis*** *sont* ***venus*** *le voir.*

Le participe passa *venus* s'accorde ici avec le sujet masculin pluriel *amis*.

Elle *était* ***admirée*** *pour son intelligence.*

Les ***animaux*** *se sont* ***enfuis****.*

10.3. Participe passé conjugué avec l'auxiliaire *avoir*

Le participe passé conjugué avec l'auxiliaire *avoir* ne s'accorde pas avec le sujet du verbe.

a) Le participe passé est invariable lorsque le complément d'objet direct est placé après le verbe :

*Ils ont **vécu** ensemble de grandes aventures.*

*Elles ont **grandi** dans la même maison.*

*Elle a **mangé** tout le gâteau.*

✘ Rappel : pour trouver le complément d'objet direct dans une phrase, il suffit de poser la question *qui* ? ou *quoi* ? après le verbe :

*Ils ont vécu quoi ? de grandes **aventures**.*

*Elle a mangé quoi ? tout le **gâteau**.*

b) Le participe passé s'accorde en genre et en nombre avec le complément d'objet direct lorsqu'il est placé devant le participe passé :

*Son expérience **les a aidés** à réussir.*

*Les amis **que** j'ai **connus** sont partis.*

*Voici les fleurs **que** j'ai **cueillies** pour toi.*
*Je **les** ai **cueillies** pour toi.*

*La route **que** j'ai **suivie**.*

☞ Remarque : le complément d'objet direct est souvent un pronom personnel (*le, la, les, nous*, etc.) ou le pronom relatif *qui* :

Son expérience a aidé qui ? les (complément d'objet direct placé avant le participe passé *aidés*, ce qui justifie l'accord avec *les*).

10.4. Participe passé des verbes impersonnels

Les verbes impersonnels n'ont pas de complément d'objet direct et leur participe passé reste toujours invariable :

Les chaleurs qu'il a ***fait*** *ont désséché les récoltes.*

Après toutes les pluies qu'il y a ***eu****, il y a un danger d'inondation.*

10.5. Participe passé des verbes intransitifs

Règle générale : les verbes intransitifs (voir § 2.2. pages 33- 34) n'ayant pas, par nature, de complément d'objet direct, les participes passé de ces verbes sont toujours invariables :

Les graines ont ***germé*** *au printemps.*

Ces enfants ont ***grandi*** *très vite.*

Toutefois, certains verbes intransitifs peuvent s'employer dans un **sens transitif direct** ; leur participe passé s'accorde alors avec le complément d'objet direct, s'il est placé avant :

Le maître d'hôtel ***nous*** *a* ***servis*** *notre repas avec beaucoup de soin et d'efficacité.*
(le maître d'hôtel a servi *qui ? nous*, qui est ici complément d'objet direct ; il y a donc accord.)

Cet ordinateur ***nous*** *a beaucoup* ***servi****.*
(l'ordinateur a servi *à qui ? à nous*, qui est ici complément d'objet indirect ; il n'y a donc pas d'accord.)

Les ***dangers*** *qu'il a* ***courus*** *lui donnent des sueurs froides.*
(*dangers* est complément d'objet direct de *courir* ; il y a accord.)

Les kilomètres qu'il a ***couru*** *au cours du marathon l'ont beaucoup fatigué.*
(Le verbe *courir* est ici employé dans un sens intransitif ; il n'y a donc pas d'accord.)

La somme d'argent que cette maison m'a ***coûté****.*
(le verbe *coûter* est pris ici dans un sens intransitif)

Les ***efforts*** *que l'achat de cette maison m'a* ***coûtés****.*
(*coûter* est ici pour sens *occasionner, causer* ; il devient dans cet exemple transitif direct ; *efforts* est complément d'objet direct.)

✘ Rappel : on reconnaît un verbe intransitif lorsque, dans une phrase, on ne peut pas écrire après lui *quelqu'un* ou *quelque chose* (par exemple, on ne peut pas dire *dormir quelqu'un* ou *quelque chose*).

10.6. Participe passé des verbes pronominaux

✘ Rappel : un verbe pronominal est dit **réfléchi** lorsque le sujet fait l'action qui, dans le même temps, revient sur lui : dans *je me coiffe, je me blesse*, l'action revient sur le sujet qui subit sa propre action.

A l'inverse, dans *je m'enfuis, je m'endors*, le pronom *se* représente le sujet, mais ce dernier ne subit pas l'action qu'il a faite ; le verbe est alors **intransitif**.

Règle générale : le participe passé des verbes pronominaux réfléchis et réciproques s'accorde en genre et en nombre avec le **pronom réfléchi complément complément d'objet direct** s'il est placé avant le verbe :

Elles ***se*** *sont* ***regardées*** *en souriant.*

Elle ***s'****est blessé****e****.* (Elle a blessé *s'*)

Mais : *Elle s'est blessé le doigt.*
(le compl. d'objet direct est placé après le verbe)

Ils ***se*** *sont* ***inscrits*** *à l'examen.*

Les deux petites filles se sont ***disputées****.*

Mais : *Les deux petites filles se sont disputé leur plus jolie poupée.*

a) Toutefois, si, en plus du pronom réfléchi, il y a dans la phrase un complément d'objet direct, ce dernier règle l'accord du participe passé en respectant la même règle d'accord :

Ils se sont ***attiré*** *des* ***ennuis*** *en agissant ainsi.*

Les ennuis ***qu'****ils se sont* ***attirés*** *en agissant ainsi.*

b) Le participe passé des verbes pronominaux non réfléchis (c'est-à-dire intransitifs) s'accorde directement, en genre et en nombre, avec le sujet :

Elles se sont ***endormies****.*

Ils se sont ***rencontrés*** *il y a un an.*

Ils se sont ***enfuis*** *ensemble.*

✘ Attention : les verbes se *rire*, se *plaire* (et ses composés), *se jouer* sont invariables :

Elles se sont ***ri*** *de leurs terreurs passées.*

Ils se sont ***plu*** *à parler du passé.*

Ils se sont ***complu*** *dans leurs malheurs.*

10.7. Participe passé suivi d'un infinitif

Le participe passé conjugué avec l'auxiliaire *avoir* peut être variable ou invariable suivant les cas :

a) Lorsque le participe passé a pour complément d'objet direct le verbe à l'infinitif, il est invariable :

Les choses qu'il a ***entendu dire****.*

La pièce de théâtre qu'elle a ***vu jouer****.*

Les décisions qu'il a ***dû prendre****.*

b) En revanche, le participe passé s'accorde avec le complément d'objet direct lorsque ce dernier est placé devant lui :

*Je **les** ai **entendus** rire.*
(j'ai entendu qui ? *les*)

*Je **les** ai **vus** entrer dans la maison.*

*La jeune femme **que** j'ai **entendue** chanter.*
(*que* – la jeune femme– est sujet de *chanter*)

mais :

*La chanson **que** j'ai **entendu** chanter.*
(j'ai entendu quoi ? chanter *que* – la *chanson* – n'est pas sujet de *chanter*)

11. Emploi des modes et des temps

✘ Rappel : il existe en français cinq modes personnels (l'indicatif, le subjonctif, l'impératif, le conditionnel, l'impératif) et deux modes impersonnels (l'infinitif et le participe).

Le mode est la manière dont le verbe présente l'état, l'existence ou l'action qu'il exprime (voir § 5.1 page 38).

11.1. Emploi de l'indicatif

L'indicatif énonce un fait réel, une affirmation.

a) L'emploi du présent

✓ Le présent exprime en règle générale une action qui a lieu au moment où l'on parle :

Je ***chante*** *une chanson.*

*J'****écris*** *une lettre.*

Je te ***parle****.*

Mais il peut aussi servir à exprimer :

✓ Une action ou un fait futur (proche) :

*J'****arrive*** *dans un instant !* (futur proche)

Si tu ***viens*** *chez moi demain, je te montrerai mes nouveaux logiciels de jeux.* (hypothèse dans le futur)

✓ Un passé récent :

Je sors de chez lui à l'instant.

✓ Une habitude ou une réalité permanente :

Tous les dimanches, je ***joue*** *au tennis.* (habitude)

Je ***déjeune*** *tous les jours à la même heure.* (habitude)

La terre ***tourne*** *autour du soleil.* (fait permanent)

b) L'emploi de l'imparfait

✓ L'imparfait exprime en règle générale une action qui se déroule dans le passé.

On l'utilise pour :

✓ Décrire une action en train de se dérouler dans le passé :

*Le petit chien **courait**, **sautait**, et **rattrapait** sa balle au bond.*

✓ Décrire une action qui se répète dans le passé :

*Chaque fois qu'elle **voyait** la maison de ses parents, elle se **souvenait** de son enfance.*

✓ Décrire, dans le passé, une action en train de se faire au moment où une autre a lieu :

*Paul **écoutait** son morceau de musique préféré lorsque Fabienne entra dans la pièce.*

✓ Décrire un futur proche ou un passé récent dans le passé :

*Je pensai que mon ami **arrivait** dans peu de temps.* (futur proche)

*Je **venais** d'arriver lorsque la dispute éclata.* (passé récent)

✓ Exprimer une hypothèse, un souhait :

*Si j'**avais** davantage de temps, je ferais du sport plusieurs fois par semaine.*

c) L'emploi du passé simple

Le passé simple décrit un fait qui a eu lieu et qui s'est terminé dans le passé.

*Le soir tombant, elle **alluma** les lampes de la maison.*

*Ce jour-là, je **partis** très tôt de chez moi.*

d) L'emploi du passé composé

✓ Le passé composé sert à exprimer une action qui a eu lieu dans le passé, mais qui a eu ou a encore des conséquences dans le présent :

*J'**ai appris** à lire à l'âge de cinq ans.*

*Il **a commencé** à travailler dès la fin de ses études.*

✓ Il peut aussi indiquer une hypothèse :

*Si elle **est partie** ce soir, c'est parce qu'elle ne voulait peut-être pas le rencontrer.*

Dans tous ces exemples, l'action est terminée, mais elle garde un lien avec le moment où l'on parle.

e) L'emploi du passé antérieur

Le passé antérieur décrit une action passée qui a eu lieu avant une autre action (dont le verbe est conjugué au passé simple), qui s'est également déroulée dans le passé :

*Lorsqu'il **eut terminé** son travail, il rentra chez lui.*

*A peine **fut-il sorti**, qu'il se rappela avoir oublié de prendre son écharpe.*

f) L'emploi du plus-que-parfait

✓ Le plus-que-parfait décrit en général une action passée qui a eu lieu avant une autre action qui s'est également déroulée dans le passé :

*J'**avais compris** qu'elle était venue pour me rencontrer.*

*Il **avait vu** tout ce dont il avait besoin pour se faire une opinion.*

✓ Il est aussi utilisé pour décrire une hypothèse dans le passé :

*Si vous **étiez sorti** ce soir-là, vous auriez vu la foudre tomber sur l'arbre.*

g) L'emploi du futur simple

✓ Le futur simple décrit en général une action à venir, qui aura lieu après le moment où l'on parle :

*Je **partirai** en vacances l'été prochain.*

*En l'an 2000, quel âge **auras-tu** ?*

***Pourrez-vous** terminer à temps ?*

Il peut aussi exprimer :

✓ un souhait, une injonction :

*Tu ne **tueras** point !* (injonction)

*Tu **reviendras** demain, n'est-ce pas ?* (souhait)

✓ une probabilité :

*Paul n'est pas encore arrivé. Il se **sera** encore trompé de chemin !*

h) L'emploi du futur antérieur

✓ Le futur antérieur décrit une action future qui aura lieu avant une autre action future (au futur simple) :

*Vous arriverez lorsqu'il **sera** déjà **parti**.*

*Tu comprendras lorsque je t'**aurai expliqué** la situation.*

*Dès que je **serai rentré**, je te téléphonerai.*

☞ Remarque : le futur antérieur est parfois utilisé pour exprimer une probabilité :

*Il **aura trouvé** porte close.*

*Il **sera arrivé** un accident !*

11.2. Emploi du subjonctif

Le subjonctif exprime une subordination (c'est-à-dire que l'action décrite dépend d'une autre action), une probabilité, un doute, une inquiétude, un ordre, un souhait, une supposition, une obligation, une concession, une exclamation, une crainte.

✘ Rappel : le mode subjonctif comprend quatre temps : le subjonctif présent *(que je chante)*, le subjonctif imparfait *(que je chantasse)*, le subjonctif passé *(que j'aie chanté)*, le subjonctif plus-que-parfait *(que j'eusse chanté)*.

Il faut ***qu'il chante***. (subjonctif présent)

Il fallait ***qu'il chantât***. (subjonctif imparfait)
Il fallut

Je doute ***qu'il ait chanté***. (subjonctif passé)

Je doutais ***qu'il eût chanté***. (subjonctif plus-que-parfait)

L'emploi du subjonctif est précédé d'une conjonction de subordination : *que, afin que, quoique, pour que*, etc.

Je doute ***qu'il trouve*** *la solution.*

Je crains ***qu'il*** *ne lui* ***arrive*** *un accident.*

Je souhaite ***que tu réussisses***.

Il faut ***qu'ils connaissent*** *la vérité.*

Tu souhaites ***qu'elle vienne***.

Si intelligent ***qu'il soit***, *il ne peut pas tout deviner.*

Je t'explique ce problème afin ***que tu puisses*** *mieux le comprendre.*

☞ Remarque : le subjonctif exprime aussi une condition :

Il serait dommage ***qu'il abandonnât***.

Il eût été dommage ***qu'il eût abandonné***.

11.3. Emploi du conditionnel

Le conditionnel exprime une action soumise à une condition ou à une supposition. Il s'emploie dans les propositions principales et dans les propositions subordonnées.

✘ Rappel : le mode conditionnel a trois temps : le conditionnel présent *(je danserais)*, le conditionnel passé 1re forme *(j'aurais dansé)*, le conditionnel passé 2e forme *(j'eusse dansé)*.

Il peut exprimer :

✓ Le désir ou le regret :

*Je **préfèrerais** te revoir aujourd'hui.*

*J'**aurais préféré** te revoir aujourd'hui.*

✓ La supposition :

*Le tremblement de terre **aurait fait** beaucoup de victimes.*

✓ Une demande polie :

*Je **voudrais** connaître le prix de ce meuble.*

✓ Une action future soumise à condition :

*J'**agirais** immédiatement si j'en avais les moyens.*

(conditionnel présent et imparfait de l'indicatif)

*J'**aurais agi** immédiatement si j'en avais eu les moyens.*

(conditionnel passé 1re forme et plus-que-parfait de l'indicatif)

*J'**eusse agi** immédiatement si j'en **eusse eu** les moyens.*

(conditionnel passé 2e forme et conditionnel passé 2e forme)

✓ Une action future dans le passé :

*Tu croyais que j'**agirais** immédiatement.*

11.4. Emploi de l'impératif

✓ L'impératif exprime essentiellement l'**ordre** (à la forme affirmative) et la **défense** (à la forme négative).

***Range** tes affaires !*

***Ne bougez plus** !*

✓ Il sert aussi à exprimer :

— un conseil :

***Fais** attention à toi !*

— une affirmation :

***Dites** blanc, et il dira noir !*

— un souhait, une exhortation :

***Ne** m'en **veuillez pas**.*

***Portez-vous** bien !*

11.5. Emploi de l'infinitif

✓ L'infinitif peut avoir une valeur de **verbe**, avec un sujet exprimé ou sous-entendu. Il peut alors exprimer :

— Dans une proposition principale ou indépendante :

• un ordre :

***Ne pas** se **pencher** !*

***Ne pas fumer**.*

• une interrogation ou une exclamation :

*Moi, **penser** une chose pareille !*

*Et maintenant, que **faire** ?*

— Avec la préposition *à*, il marque l'obligation :

*J'ai une course **à faire**.*

✓ L'infinitif peut aussi avoir une valeur de **nom** :

— Sujet :

Écouter *de la musique est son principal loisir.*

Faire *du sport me plaît beaucoup.*

— Complément d'objet :

J'adore ***lire****.*

Je n'aime pas ***courir****.*

— Attribut :

Aller à l'école, c'est ***apprendre****.*

— Complément de nom :

La joie de ***vivre****.*

La passion de ***jouer*** *l'a ruiné.*

— Complément circonstantiel :

Il rentra chez lui pour ***se reposer****.*

*À l'****entendre****, il connaît tout sur tout !*

*Il reconnut la petite fille pour l'****avoir vue*** *dans le jardin.*

11.6. Emploi du participe

a) Emploi du participe présent

Le participe présent peut avoir une valeur de **verbe** ou d'**adjectif** :

✓ Le participe présent employé comme **verbe** :

Il est invariable :

Les trois amis, ***parlant*** *et* ***riant****, entrèrent dans le restaurant.*

Les jouets, ***s'amoncelant*** *partout, avaient complètement envahi sa chambre.*

Il exprime une action, au présent, au passé ou au futur, qui est simultanée par rapport à l'action du verbe principal :

*Elle le regard<u>e</u> **jouant** avec son fils.*

*Elle le regard<u>ait</u> **jouant** avec son fils.*

*J'observ<u>ais</u> le chat **courant** derrière un moineau.*

✓ Le participe présent employé comme **adjectif verbal** :

Utilisé comme un adjectif, le participe présent devient variable et s'accorde en genre et en nombre avec le nom auquel il se rapporte.

Il indique alors un **état**, une **qualité**, une **habitude**.

*Elle m'a raconté des histoires **passionnant<u>es</u>**.*

*Des journées **fatigantes**.*

*Les eaux **dormantes**.*

Le participe présent employé comme adjectif peut avoir les quatre fonctions de l'adjectif :

• épithète :

*J'ai entendu une chanson **envoûtante**.*

*Il a vu un film **passionnant**.*

• en apposition :

*Cette chanson, **envoûtante** et triste à la fois, m'a laissé rêveur.*

*Le film, **passionnant** et **dépaysant**, lui a donné envie de partir en voyage.*

• attribut du sujet :

*Cette chanson est **envoûtante**.*

*Le film d'hier soir semblait **passionnant**.*

• attribut du complément d'objet :

*J'ai trouvé cette chanson **envoûtante**.*

Ils ont trouvé le film ***passionnant****.*

✘ Attention : il ne faut pas confondre le participe présent et l'adjectif verbal, qui ont une terminaison commune : ***-ant***. C'est le sens de la phrase qui permet de ne pas les confondre.

Pour les différencier, on peut mettre la forme en *-ant* au féminin en remplaçant dans la phrase le nom masculin par un nom féminin. Si la forme en *-ant* peut se mettre au féminin, il s'agit bien d'un adjectif verbal :

*Un livre amus****ant****.*
*Une histoire amus****ante****.*

Dans certains cas l'adjectif verbal a une orthographe différente du participe passé, comme dans les exemples listés ci-après :

Participe présent (verbe)	*Adjectif verbal*
adhérant	*adhérent*
communiquant	*communicant*
convainquant	*convaincant*
différant	*différent*
équivalant	*équivalent*
fatiguant	*fatigant*
influant	*influent*
naviguant	*navigant*
négligeant	*négligent*
précédant	*précédent*
provoquant	*provocant*
somnolant	*somnolent*
suffoquant	*suffocant*
etc.	

✓ Lorsque le participe présent est précédé de la préposition ***-en***, il est appelé **gérondif**. Le gérondif est toujours invariable.

Il indique une action qui se déroule en même temps que celle exprimée par le verbe principal :

Il se blessa au genou ***en tombant*** *sur la route goudronnée.*

N'oublie pas d'acheter du pain ***en venant*** *déjeuner à la maison !*

En regardant *par la fenêtre, il aperçut son ami qui passait dans la rue.*

☞ Remarque : le participe présent est parfois employé comme nom. Citons quelques exemples courants :

un combattant (nom) – combattant (participe présent)

un étudiant (nom) – étudiant (participe présent)

un fabricant (nom) – fabriquant (participe présent)

un habitant (nom) – habitant (participe présent)

un passant (nom) – passant (participe présent)

un président (nom) – présidant (participe présent)

un surveillant (nom) – surveillant (participe présent)

etc.

b) Emploi du participe passé

Le participe passé peut avoir une valeur de **verbe** ou d'**adjectif**.

Rappelons qu'il peut s'employer seul, avec l'auxiliaire *être*, ou avec l'auxiliaire *avoir*.

N.B. – pour les règles d'accord du participe passé, se reporter dans ce même chapitre au § 10, Accord du participe passé, p. 127.

✓ L'emploi du participe passé comme **verbe**

Il peut être utilisé seul ou avec l'auxiliaire *être*.

— Employé seul, on le trouve :

• en apposition :

Levés *de bon matin, il sortirent se promener.*

Surpris *de sa réaction, il resta sans voix.*

• utilisé comme participe présent :

Invitée *par son ami, elle se rend au rendez-vous.*

(invitée = étant invitée)

• utilisé comme participe passé :

Invitée *par son ami, elle s'était rendue au rendez-vous et avait passé une très bonne soirée.*

(invitée = ayant été invitée)

• suivi d'un complément d'agent :

Rongé *par le doute, il retourna sur les lieux de l'accident.*

• utilisé avec une valeur circonstantielle :

Aidé *par son ami, il pourrait réussir. (condition)*

Les sangliers, ***alertés*** *par le bruit des pas des chasseurs, s'enfuient. (cause)*

— Employé avec l'auxiliaire *être*, il est utilisé pour :

• former les temps composés de certains verbes (comme aller, venir, partir, tomber, etc.) :

Tu ***es venu*** *me voir.*

Ils ***sont arrivés*** *à temps.*

• former les temps composés des verbes pronominaux :

Elle ***s'est levée*** *de bonne heure.*

Ils ***se sont moqués*** *de lui.*

• conjuguer les verbes à la voix passive :

*Elle **est invitée** par sa sœur.*

*Ils **sont reçus** par leur directeur.*

— Employé avec l'auxiliaire *avoir*, le participe passé est utilisé pour :

• former les temps composés des verbes à la voix active :

*Elles **ont sauté** de joie en apprenant la nouvelle.*

*Elle les **a choisis** pour leur optimisme et leur bonne humeur.*

✓ L'emploi du participe passé comme **adjectif qualificatif** :

Employé comme adjectif, le participe passé est variable et s'accorde en genre et en nombre avec le nom auquel il se rapporte.

Il peut être utilisé :

• en apposition :

***Rassurés**, ils reprirent leur activité.*

***Fatiguées**, elles s'endormirent rapidement.*

• comme épithète :

*Un appartement moderne et **décoré** avec goût.*

• comme attribut :

*Elle paraît **reposée** et contente.*

CHAPITRE 3

LE NOM

1. Définition du nom et du groupe nominal

1.1. Le nom

Le **nom** est un mot utilisé pour désigner ou nommer une **personne**, un **animal** ou une **chose**.

- Une personne : *Catherine – Jacques – homme*
- Un animal : *chat – chien – poisson*
- Une chose : *table – chaise*.

1.2. Le groupe nominal

Le **groupe nominal** peut désigner :

– Un nom seul :

Jacques *court dans le jardin.*

– Un déterminant et un nom :

Le garçon *court dans le jardin.*

Le groupe : ***Le garçon*** est un groupe nominal ; à l'intérieur de ce groupe, l'article ***le*** est un déterminant.

Dans ce dernier exemple, l'article *le* est un **déterminant** : on appelle *déterminants* les *articles* et les *adjectifs non qualificatifs* qui sont les constituants obligatoires du groupe nominal. On ne peut pas les supprimer, car la phrase serait alors grammaticalement incorrecte.

Le groupe nominal peut également comporter des **constituants non obligatoires**, tels que les *adjectifs qualificatifs*, les *compléments de nom* ou des *propositions subordonnées relatives* :

Un jeune garçon *courait dans le jardin.*

Dans cette exemple, le groupe ***Un jeune garçon*** est le groupe nominal. L'article ***un*** est un déterminant et l'adjectif qualificatif ***jeune*** est un constituant non obligatoire.

Remarquons que si l'on supprime le constituant non obligatoire ***jeune***, la phrase reste grammaticalement correcte.

Le fils de mon oncle *est venu nous rendre visite.*

Le fils de mon oncle est le groupe nominal ; l'article ***le*** est le déterminant et le complément du nom ***de mon oncle***, est un constituant non obligatoire.

Le garçon qui est venu me voir *est mon ami.*

Le garçon qui est venu me voir est le groupe nominal ; l'article ***le*** est le déterminant et la proposition subordonnée relative ***qui est venu me voir*** est un constituant non obligatoire.

☞ Remarque : le groupe nominal, dans les exemples énoncés ci-dessus, possède un nom essentiel, appelé ***noyau***, sans lequel la phrase n'a plus de sens.

Un jeune garçon *courait dans le jardin.*
(noyau : garçon)

Le fils de mon oncle *est venu nous rendre visite.*
(noyau : fils)

Le garçon qui est venu me voir *est mon ami.*
(noyau : garçon)

2. Catégories de noms

2.1. Noms communs et noms propres

✓ On appelle ***nom commun*** un nom qui est commun à toutes les personnes, tous les animaux et toutes les choses appartenant à une même espèce.

— Par exemple le mot ***ville*** peut désigner toutes les villes, comme ***Paris***, ***Lille***, ***Lyon***, ***Marseille***, etc.

— Le mot ***femme*** peut désigner toutes les femmes, le mot ***homme*** tous les hommes, etc.

✓ On appelle ***nom propre*** un nom qui est particulier à une seule personne, un seul animal ou une seule chose.

Les noms propres s'écrivent toujours avec une majuscule.

Parmi les noms propres, on trouve :

— les prénoms : ***Paul, Lucie, Jacques,*** *etc.*

— les noms de famille : ***Dupont, Durand,*** *etc.*

— les noms de ville : ***Nice, Bordeaux, Toulouse***.

☞ Remarque : les noms d'habitants, même s'ils ne constituent pas de véritables noms propres (ils sont formés à partir des noms propres), prennent aussi une majuscule :

Les ***Français*** *aiment les voitures italiennes.*

— les noms de fleuves et de montagnes : ***la Seine***, ***la Loire*** , ***les Pyrénées***, ***les Alpes***.

— les noms de monuments, de constructions, de places, etc : *la cathédrale de **Notre-Dame**, le **Pont-Neuf**, la place **Stanislas***.

☞ Remarques :

• Certains noms communs sont devenus des noms propres : *l'époque de la **Renaissance**, l'époque du **Moyen-Âge**, Monsieur le **Député**, Monsieur le **Ministre**, Monsieur le **Président***.

• Certains noms propres sont devenus des noms communs :

*Un **bordeaux** (vin de la région de Bordeaux).*

*Un **munster** (fromage de la région de Munster).*

*Un **champagne** (vin de la région de Champagne), etc.*

2.2. Noms concrets et noms abstraits

✓ On appelle ***nom concret*** un nom qui désigne une personne, un animal ou une chose. Ces noms sont concrets parce qu'ils sont réels : nous pouvons les voir et les toucher, ils sont donc perceptibles par nos sens.

Homme – oiseau – bureau – pluie, etc.

✓ On appelle ***nom abstrait*** une idée, un sentiment, une qualité générale qui peut exister de façon autonome en dehors d'une personne, d'un animal ou d'une chose :

L'enthousiasme, la patience, la passion, l'intelligence, etc.

La minceur, l'épaisseur, la légèreté, la lourdeur, etc.

L'enfance, la jeunesse, la vieillesse, etc.

2.3. Noms collectifs

Le nom collectif est un nom qui désigne, bien qu'il soit au singulier, une réunion, un ensemble d'êtres ou de choses :

Débarrasse-moi de toute cette ***ferraille*** *!*

La ***foule*** *applaudit le chanteur avec enthousiasme.*

Une ***nuée*** *d'insectes s'est abattue sur la récolte.*

2.4. Noms composés

Les noms composés sont des noms formés de deux ou plusieurs mots qui désignent un seul nom, un seul être ou une seule chose :

Un pince-sans-rire

Un ver-à-soie

Un chef-d'œuvre

Un gratte-ciel.

Les mots qui forment le nom composé sont souvent unis par un trait d'union :

Des haut-parleurs.

Ils sont parfois transformés en un mot unique :

Un portemanteau.

2.5. Mots employés comme noms

D'autres catégories de mots peuvent être employés comme nom. Il peut s'agir par exemple :

✓ d'un adjectif :

Le ***noir*** *est ma couleur préférée.*

Le ***Rouge et le Noir*** *est le titre d'un roman célèbre de Stendhal.*

✓ d'un verbe :

*Laissez-moi vous offrir le **boire** et le **manger**.*

✓ d'un adverbe :

*Le **mieux** est de rentrer tout de suite chez vous pour éviter l'orage.*

✓ d'un pronom :

***Qui** est venu me voir aujourd'hui ?*

3. Genre des noms

Il y a en français deux genres dans les noms : le **masculin** et le **féminin**.

3.1. Genre des noms communs

Il existe deux sortes, ou deux genres, de personnes, d'animaux ou de choses.

✓ Les noms d'hommes ou d'animaux mâles sont ***masculins*** :

*L'**homme** – Le **père** – Le **chien**.*

✓ Les noms de femmes ou d'animaux femelles sont ***féminins*** :

*La **femme** – La **mère** – La **chienne**.*

☞ Remarque : les noms qui désignent les espèces d'animaux peuvent être *masculins* ou *féminins* :

la perruche – le canari – l'ours.

✓ Les noms de choses sont ***masculins*** ou ***féminins*** :

la terre – le soleil – la lune.

la campagne – le bois – l'herbe.

3.2. Genre des noms propres

✓ Les noms propres de famille ou de dynastie sont toujours de genre masculin :

Les Dupont — Les Duval.

Les Bourbons — Les Capétiens — Les Mérovingiens.

✓ Les noms géographiques sont, suivant les cas, de genre ***masculin*** ou ***féminin***. Prenons quelques exemples :

— les noms désignant des villes ou des régions sont souvent au féminin lorsqu'ils sont terminés par un ***-e*** muet ; sinon, ils sont de genre masculin :

La Bretagne — La Bourgogne.

Marseille — Lille.

Le Bordelais — Le Cantal.

Lyon — Paris. (de genre masculin)

— Les noms de fleuves sont de genre masculin ou féminin :

La Seine — La Garonne — Le Rhône.

— Les noms de montagnes sont de genre masculin ou féminin :

Les Alpes — Les Pyrénées.

Le Jura — Le Massif Central.

etc.

3.3. Formation du féminin dans les noms

Règle générale : on forme le féminin d'un nom en ajoutant un ***-e*** muet au masculin :

*cousin ; cousin**e** — ami ; ami**e**.*

*marchand ; marchand**e** — candidat ; candidat**e**.*

*ours ; ours**e** — lapin ; lapin**e**.*

Cependant, les cas particuliers qui font exception à l
règle sont nombreux :

✓ Plusieurs noms terminés par ***-n*** ou ***-t*** au masculi
doublent cette consonne au féminin avant d'ajoute
un ***-e*** :

*gardien ; gardie**nne** — lycéen ; lycée**nne**.*

*chat ; cha**tte** — chien ; chie**nne**.*

✓ Plusieurs noms terminés par ***-er*** au masculin forme
leur féminin en ***-ère*** (avec un *accent grave*) :

*écolier ; écoli**ère** — passager ; passag**ère**.*

*cuisinier ; cuisini**ère** — couturier ; couturi**ère**.*

✓ Les noms terminés par ***-eur*** au masculin forment leu
féminin en :

— ***-euse***, comme :

*chanteur ; chant**euse** — nageur ; nag**euse**.*

*voyageur ; voyag**euse** — patineur ; patin**euse**.*

— ***-esse***, comme :

*docteur ; doctor**esse**.*

*enchanteur ; enchanter**esse**.*

✗ Attention : certains noms terminés par ***-e*** au masculi
ont aussi leur féminin en ***-esse*** :

*hôte ; hôt**esse** — traître ; traîtr**esse**.*

*âne ; ân**esse** — poète ; poét**esse**.*

— ***-ice***, comme :

*éducateur ; éducatr**ice** — acteur ; actr**ice**.*

*électeur ; électr**ice** — protecteur ; protectr**ice**.*

✓ Les noms terminés par ***-f*** ou ***-p*** au masculin forme
leur féminin en ***-ve***, comme dans :

*veuf ; veu**ve**. — lou**p** ; lou**ve**.*

✓ Les noms terminés par ***-x*** au masculin forment leur féminin en ***-se*** :

*ambitieux ; ambitieu**se** — époux ; épou**se**.*

*religieux ; religieu**se**.*

✓ Certains noms ont des formes complètement différentes pour le masculin et le féminin. Citons quelques exemples courants :

masculin	féminin
cerf	*biche*
cheval	*jument*
coq	*poule*
fils	*fille*
garçon	*fille*
gendre	*bru*
héros	*héroïne*
homme	*femme*
jars	*oie*
mâle	*femelle*
monsieur	*madame*
mouton	*brebis*
neveu	*nièce*
oncle	*tante*
père	*mère*
sanglier	*laie*
taureau	*vache* etc.

☞ Remarques

• La même forme peut à la fois servir pour le masculin et le féminin :

un ou une artiste — un ou une propriétaire.

un ou une peintre — un ou une écrivain.

un ou une élève — un ou une concierge.

• Dans certains cas, le genre sert à différencier un même nom qui peut avoir des significations différentes :

un voile (étoffe) — une voile (de bateau)

le garde (personne) — la garde (action de garder)

un moule (modèle) — une moule (coquillage)

un mémoire (document universitaire) — la mémoire (faculté mentale), etc.

LE SAVIEZ-VOUS ?

Les lettres, elles aussi, possèdent un genre :

✓ Lettres de genre masculin :

a, b, c, d, e, g, i, j, k, o, p, q, t, u, v, w, y, z.

✓ Lettres de genre féminin :

f, h, l, m, n, r, s, x.

4. Nombre des noms

4.1. Pluriel des noms

Règle générale :

✓ Il existe deux nombres :

— le **singulier** sert à désigner un seul être ou une seule chose ;

un livre — un ordinateur.

— le **pluriel** désigne plusieurs êtres ou plusieurs choses :

des livres — des ordinateurs.

✓ Le pluriel des noms est en général indiqué en ajoutant un ***-s*** au nom au singulier :

*une veste ; des veste**s** — une table ; des table**s**.*

Exceptions :

✓ La forme des noms terminés au singulier par ***-s***, ***-x*** ou ***-z*** ne change pas au pluriel :

*un tapi**s** ; des tapi**s** — un tami**s** ; des tami**s**.*

*une souri**s** ; des souri**s** — un fil**s** ; des fil**s**.*

*un pri**x** ; des pri**x** — une voi**x** ; des voi**x**.*

*une tou**x** ; des tou**x** — un ne**z** ; des ne**z**.*

✓ Les noms terminés par **-au**, **-eau** ou **-eu** prennent en général une **-x** au pluriel :

*un bat**eau** ; des bateau**x** — un joy**au** ; des joyau**x**.*

*un v**œu** ; des vœu**x** — un chev**eu** ; des cheveu**x**.*

✘ Attention : les noms ***bleu***, ***landau***, ***pneu*** prennent aussi une ***-s*** au pluriel :

*un bleu ; des bleu**s** — un landau ; des landau**s**.*

un pneu ; des pneus.

✓ Les noms terminés en ***-ou*** prennent le plus souver une ***-s*** au pluriel :

un clou ; des clous – un fou ; des fous.

un verrou ; des verrous – un trou ; des trous.

✗ Attention : sept noms terminés par ***-ou*** prennent un ***-x*** au pluriel :

un bijou ; des bijoux – un caillou ; des cailloux.

un chou ; des choux – un genou ; des genoux.

un hibou ; des hiboux – un joujou ; des joujoux.

un pou ; des poux.

✓ Les noms terminés en ***-ail*** forment en général leu pluriel en ajoutant une ***-s*** :

un détail ; des détails – un éventail ; des éventails

un chandail ; des chandails.

✗ Attention : sept noms terminés par ***-ail*** forment leu pluriel en ***-aux*** :

un bail ; des baux – un corail ; des coraux.

un émail ; des émaux – un soupirail ; des soupirau

un travail ; des travaux – un vantail ; des vantau

un vitrail ; des vitraux.

Exception : *du bétail ; des bestiaux* (pluriel irrégulier

✓ Les noms terminés par **-al** forment en général leu pluriel en **-aux** :

un journal ; des journaux – un mal ; des maux.

un cheval ; des chevaux. – un animal ; des animau

✗ Attention : plusieurs noms font exception en pre nent une ***-s*** au pluriel :

un bal ; des bals – un carnaval ; des carnavals.

*un chacal ; des chacal**s** — un festival ; des festival**s**.*

*un récital ; des récital**s** — un régal ; des régal**s**.*

☞ <u>Remarque</u> : certains noms ne s'emploient qu'au pluriel ; prenons quelques exemples :

*Il est aux **abois** depuis qu'il a des problèmes d'argent.*

*Elle marchait parmi les **décombres**.*

*La police des **mœurs** enquête.*

*Il scrutait les **ténèbres** avec inquiétude.*

*Vous devez me verser des **arrhes** tout de suite si vous voulez acheter ce produit.*

etc.

4.2. Pluriel des noms composés

<u>Rappel</u> : Les noms composés sont des noms formés de deux ou plusieurs mots qui désignent un seul nom, un seul être ou une seule chose (voir § 2.4 de ce chapitre).

✓ Lorsque le nom composé est écrit en un seul mot, il s'accorde le plus souvent au pluriel sur le modèle des noms simples :

un portemanteau ; *des portemanteau**x**.*

un portefeuille ; *des portefeuille**s**.*

un contresens ; *des contresens.*

✗ <u>Attention</u> : il existe des exceptions, du type :

un monsieur ; *des **messieurs**.*

Madame ; ***Mesdames**.*

un bonhomme ; *des **bonshommes***, etc.

✓ Lorsque le mot composé est formé soit de **deux noms**, soit d'**un nom et** d'**un adjectif**, il fait porter à tous deux la marque du pluriel.

un chou-fleur ; *des chou**x**-fleur**s**.*

un coffre-fort ; *des coffre**s**-fort**s**.*

un rouge-gorge ; *des rouge**s**-gorge**s**.*

un beau-frère ; *des beau**x**-frère**s**.*

un oiseau-mouche ; *des oiseau**x**-mouche**s**.*

une sage-femme ; *des sage**s**-femme**s**.*

✘ Attention à ces exceptions :

un grand-père ; *des grand**s**-père**s***
mais
une grand-mère ; *des grand-mère**s**.*

un grand-oncle ; *des grand**s**-oncle**s***
mais
une grand-tante ; *des grand-tante**s**.*

une grand-place ; *des grand-place**s**.*

une grand-rue ; *des grand-rue**s**.*

une grand-messe ; *des grand-messe**s**, etc.*

✓ Lorsque les deux noms d'un mot composé sont unis par une préposition, seul le premier porte la marque du pluriel :

un arc-en-ciel ; *des arc**s**-en-ciel.*

un chef-d'œuvre ; *des chef**s**-d'œuvre.*

un pot-de-vin ; *des pot**s**-de-vin.*

☞ Remarque : dans certains mots, la préposition peut être sous-entendue :

*un timbre-poste ; des timbre**s**-poste*
(car il s'agit de *timbres pour la poste*).

*un terre-plein ; des terre-plein**s**.*
(car il s'agit d'*endroits pleins de terre*).

✘ Attention à ces exceptions :

un pied-à-terre ; *des pied-à-terre.*
un pot-au-feu ; *des pot-au-feu.*
un pur sang ; *des pur sang.* (chevaux)
un tête-à-tête ; *des tête-à-tête.*

✓ Dans le nom composé formé d'un verbe et d'un nom, le verbe reste invariable et le nom est variable au pluriel :

un tire-bouchon ; *des tire-bouchon**s**.*
un porte-crayon ; *des porte-crayon**s**.*
un prête-nom ; *des prête-nom**s**.*
un couvre-lit ; *des couvre-lit**s**.*
un couvre-pied ; *des couvre-pied**s**.*
un casse-noisette ; *des casse-noisette**s**.*

☞ Remarques

• Lorsque les noms composés ont déjà une terminaison en **-s** au singulier, ils ne changent pas au pluriel :

un brise-lames ; *des brise-lame**s**.*
un chasse-mouches ; *des chasse-mouche**s**.*
un compte-gouttes ; *des compte-goutte**s**.*
un cure-dents ; *des cure-dent**s**.*
un porte-clefs ; *des porte-clef**s**.*
un presse-papiers ; *des presse-papier**s**.*
un vide-poches ; *des vide-poche**s**,* etc.

• Dans les mots composés formés à l'aide du verbe ***garder***, *garde* se met au pluriel lorsqu'il désigne une personne et reste invariable lorsqu'il désigne une chose :

un garde-malade ; *des garde**s**-malade.* (personne)
un garde-chasse ; *des garde**s**-chasse.* (personne)

un garde-manger ; *des garde-manger.*

une garde-robe ; *des garde-robes*, etc.

✘ Attention : il existe de nombreuses exceptions à cette règle, beaucoup de mots restant invariables au pluriel. Nous citons ci-après quelques exemples courants :

un abat-jour ; *des abat-jour.*
un brise-glace ; *des brise-glace.*
un brûle-parfun ; *des brûle-parfum.*
un casse-tête ; *des casse-tête.*
un chasse-neige ; *des chasse-neige.*
un coupe-gorge ; *des coupe-gorge.*
un gagne-pain ; *des gagne-pain.*
un grille-pain ; *des grille-pain.*
un perce-neige ; *des perce-neige.*
un porte-monnaie ; *des porte-monnaie.*
un serre-tête ; *des serre-tête.*
un trouble-fête ; *des trouble-fête.*

✓ Dans le nom composé formé d'un mot invariable et d'un nom, le mot invariable reste invariable et le nom est variable au pluriel :

un contre-coup ; *des contre-coups.*

un sous-sol ; *des sous-sols.*

un vice-président ; *des vice-présidents.*

✓ Les noms composés qui ne comportent ni un nom, ni un adjectif, sont invariables :

un laissez-passer ; *des laissez-passer.*

un passe-partout ; *des passe-partout.*

un pince-sans-rire ; *des pince-sans-rire.*

un va-et-vient ; *des va-et-vient.*

4.3. Pluriel des noms propres

✓ Les noms propres désignant les noms de familles sont toujours au singulier :

*Les **Duroc** sont venus avec nous faire du ski.*

✓ Les noms propres, lorsqu'ils sont employés comme des noms communs, prennent la marque du pluriel :

*Les **Français** – Les **Italiens** – Les **Allemands**, etc.*

*Dans ce merveilleux musée, vous admirerez plusieurs **Cézannes** et plusieurs **Rembrandts**.*

*Les **Socrates** se font rares de nos jours !*
(c'est-à-dire des philosophes ayant la valeur de *Socrate*)

✗ Attention : lorsque le nom propre désigne une seule personne, il est au singulier, même s'il est précédé d'un article pluriel :

Les Molière et les Corneille ont illustré le XVIIe siècle.

✓ Les noms propres de pays prennent la marque du pluriel :

*Les **Antilles** – Les **Canaries** – Les **Philippines**.*

4.4. Pluriel des noms latins ou étrangers

✓ Certains noms latins ou étrangers prennent, avec l'usage, la marque du pluriel :

un agenda ;	*des agendas.*
un alinéa ;	*des alinéas.*
un bifteck ;	*des biftecks.*
un concerto ;	*des concertos.*
un ténor ;	*des ténors.*
un pipe-line ;	*des pipe-lines.*

un réferendum ; *des réferendums.*

un médium ;* *des médiums.*

✓ D'autres, en revanche, sont susceptibles de :

— garder la marque du pluriel étranger :

un desideratum ; *des desiderata.*

un gentleman ; *des gentlemen.*

un soprano ; *des soprani.*

— de rester invariable :

un extra ; *des extra.*

un post-scriptum ; *des post-scriptum.*

un vade-mecum ; *des vade-mecum.*

— d'accepter la marque du pluriel étranger et la marque du pluriel français :

un match ; *des matchs ; des matches.*

un maximum ; *des maximums ; des maxima.*

un solo ; *des solos ; des soli.*

* Attention : le mot *média*, au sens de moyen de communication de masse (radio, télévision, etc.) s'emploie au singulier et prend un *s* au pluriel.

5. Fonctions du nom

Dans une phrase, le nom peut remplir plusieurs fonctions :

✓ Sujet : le nom est sujet du verbe.

***Il** est informaticien dans une société de services.*
Le sujet *il* est dans l'état exprimé par le verbe *est*.

***Catherine** aime écouter de la musique.*
Le sujet *Catherine* fait l'action exprimée par le verbe *écouter* (voix active).

***Paul**, **Marie** et **Jacques** travaillent ensemble depuis trois ans.*
Les trois sujets *Paul*, *Marie* et *Jacques* font l'action exprimée par le verbe *travailler* (voix active).

*Les **voyageurs** furent assaillis de questions.*
Le sujet *voyageurs* subit l'action exprimée par le verbe *assaillir* (voix passive).

☞ Remarques :

• Dans les phrases employant le pronom neutre *il*, ce dernier n'est que le sujet apparent du verbe ; le sujet réel est placé après le verbe :

***Il** est tombé beaucoup de **neige** aujourd'hui.*
Il est le sujet apparent ; *neige* est le sujet réel.

• Le sujet est parfois placé après le verbe ou se trouve loin du verbe :

*Dans ses yeux brillait l'**espoir** de réussir.*
Dans cet exemple, le sujet *espoir* est placé après le verbe *briller*.

***André**, en prenant la décision de faire un long voyage, a démissionné de son emploi d'ingénieur.*
André est le sujet du verbe *démissionner*.

✓ en apposition :

*Son médecin, **chirurgien** de renom, la rassura sur la santé de son fils.*

✓ complément d'objet :

*Elle aperçut son **ami** et lui fit un signe de la main.*
(*ami* est complément d'objet direct)

Quel CD avez-vous choisi d'acheter ?
(*CD* est complément d'objet direct)

*Il demanda à son **frère** de l'accompagner au cinéma.*
(*frère* est complément d'objet indirect)

✓ attribut du sujet :

*Mon oncle est devenu **sportif** professionnel depuis peu.*
(*sportif* est attribut du sujet *oncle*)

*Annie et Jacqueline sont **amies** depuis leur enfance.*
(*amies* est attribut des sujets *Annie* et *Jacqueline*)

✓ complément circonstantiel :

*Elle trébucha en marchant dans une **flaque** de boue.*

*En sortant de son **bureau** le soir, il allait se promener dans le parc avant de rentrer chez lui.*

✓ complément d'agent :

*Julien a été récompensé par son **père** pour avoir réussi son examen.*

*Il a été mordu par le **chien** du voisin !*

✓ complément d'attribution :

*Marc écrivit à ses **parents** pour leur annoncer la décision qu'il avait prise.*

6. Règles d'accord

Règle générale d'accord : Lorsque deux noms se suivent et désignent le même être ou la même chose, le second s'accorde en genre et en nombre avec le premier :

Les sœurs jumelles.

Les apprentis menuisiers.

✓ Si le nom se rapporte à plusieurs autres noms, il s'accorde en genre et en nombre avec des noms :

— en nombre (il est donc au pluriel) ;

*Paul et Jacques sont **cousins**.*

— en genre, si les noms sont de même genre ; si les noms sont de genre différents, il se met au masculin.

*Jacqueline et Cécile sont **cousines**.*

Jacqeline et *Cécile* sont des noms propres de genre féminin, *cousines* est de genre féminin.

*Julien, Paul et Cécile sont **cousins**.*

Julien et *Paul* sont des noms propres de genre masculin, *Cécile* est de genre féminin, *cousins* est donc de genre masculin. De même:

*Caroline et Pierre sont **amis**.*

✓ Si le nom est employé pour compléter un autre nom, il se met au singulier ou au pluriel en fonction du sens de la phrase :

*Une boîte de **chocolats**.*

*Un panier de **poires**.*

Les noms *chocolats* et *poires* sont au pluriel car ils désignent plusieurs éléments qu'on peut compter.

*De la confiture d'**abricot**.*

*De la confiture d'**abricots**.*

Dans ces exemples, le complément du nom *abricot* peut

se mettre au singulier ou au pluriel :

— si on considère que le mot *abricot* désigne la matière : *de la confiture faite avec de l'abricot*, il est au singulier car il désigne alors un tout ;

— au contraire, si le mot *abricots* désigne plusieurs fruits qu'on peut compter : *de la confiture faite avec des abricots*, il se met alors au pluriel.

Cependant, en fonction du nombre indiqué par le sens, on écrira plutôt :

*De l'huile d'**olive**.*

*Un sachet de **bonbons**.*

*Un tas d'**herbe** ou un tas d'**herbes sèches**.*

7. Compléments du nom

Le nom peut être complété par des mots ou une proposition qui le complète : ils sont appelés ***compléments du nom***.

*Une <u>table</u> en **bois** de chêne.*
bois est complément du nom *table*.

*Un <u>bouquet</u> de **roses** rouges.*
roses est complément du nom *bouquet*.

Les mots *bois* et *roses* complètent le sens des noms *table* et *bouquet*, et permettent d'identifier de quelle *table* et de quel *bouquet* il s'agit.

Les compléments du nom qui sont utilisés pour le compléter peuvent être :

✓ un autre nom :

*Une <u>chemise</u> à **fleurs**.*

*Un <u>écrivain</u> de **renom**.*

Les compléments *fleurs* et *renom* précisent la **qualité** des noms *chemise* et *écrivain*.

Un canapé en ***cuir****.*

Une robe en ***soie****.*

Les noms *cuir* et *soie* indiquent la **matière** du *canapé* et de la *chemise*.

Le nom complément du nom peut donner d'autres types d'indications :

des cris de ***joie****.* (cause)

un verre de ***vin****.* (contenu)

Les lunettes de ***Sylvie****.* (possession), etc.

✓ un pronom :

L'ami ***dont*** *je t'ai parlé est arrivé aujourd'hui.*

✓ un adjectif :

Un vase ***fragile****.*

✓ un adverbe :

La fenêtre de ***devant****.*

✓ un infinitif :

Un fer à ***repasser****.*

✓ une proposition :

Le café ***où il avait l'habitude de venir prendre un verre*** *le soir était fermé.*

CHAPITRE 4

L'ADJECTIF QUALIFICATIF

1. Définition de l'adjectif qualificatif

L'adjectif qualificatif est un mot que l'on ajoute au nom afin d'en préciser le sens. Il sert à exprimer une qualité attribuée au nom qui permet de le qualifier ou de le déterminer plus précisément :

Il m'a offert une ***jolie*** *écharpe* ***bleue****.*

Dans cet exemple, les mots **jolie** et **bleue** sont des adjectifs ; ils indiquent les qualités de l'*écharpe*.

L'adjectif qualificatif est un mot **variable** qui indique une qualité ou une caractéristique :

Une journée ***ensoleillée****.*

Un ***jeune*** *homme.*

Un pull-over ***rouge****.*

Dans la phrase :

Le ***gros*** *chat* ***noir*** *aux yeux* ***jaunes****.*

Les mots : ***gros***, ***noir*** et ***jaune***, sont ajoutés au nom pour décrire le chat.

2. Genre de l'adjectif qualificatif

L'adjectif qualificatif possède deux genres :

✓ le masculin :

*Un pantalon **gris**.*

*Un meuble **bas**.*

✓ le féminin :

*Une chemise **grise**.*

*Une table **basse**.*

Formation du féminin des adjectifs

Règle générale : pour mettre au féminin la plupart des adjectifs, on ajoute un ***-e*** au masculin. Cependant, cette règle comporte plusieurs exceptions, listées ci-après :

✓ Les adjectifs terminés par un ***-e*** muet au masculin

Les adjectifs terminés par un ***-e*** muet au masculin gardent la même forme au féminin :

*Un sac **vide**. – Une boîte **vide**.*

*Un **agréable** séjour. – Une **agréable** soirée.*

*Un jugement **juste**. – Une **juste** mesure.*

*Un cadeau **utile**. – Une remarque **utile**.*

*Un vêtement **propre**. – Une chemise **propre**.*

✓ Les adjectifs terminés en ***-er***

Les adjectifs terminés en ***-er*** ont leur féminin en ***-ère*** :

*Un être **cher**. – Une maison **chère**.*

*Un sac **léger**. – Une valise **légère**.*

*Un fruit **amer**. – Une orange **amère**.*

✓ Les adjectifs terminés par ***-eur***

Les adjectifs terminés par ***-eur*** possèdent quatre formes possibles au féminin :

— Ils ajoutent simplement un ***-e*** au féminin, en respectant ainsi la règle générale d'accord :

*Un garçon **majeur**. – Une fille **majeure**.*

*Le grade **supérieur**. – Une raison **supérieure**.*

— Ils forment leur féminin en ***-euse*** :

*Un enfant **rieur**. – Une fillette **rieuse**.*

*Une homme **menteur**. – Une femme **menteuse**.*

— Ils forment leur féminin en ***-trice*** :

*Un geste **destructeur**. – Une attitude **destructrice**.*

*Un artiste **créateur**. – Une œuvre **créatrice**.*

— Il forment leur féminin en ***-eresse*** :

*Un serment **vengeur**. – Une action **vengeresse**.*

✓ Les adjectifs terminés par ***-et***

— Les adjectifs terminés par ***-et*** doublent en général le ***-t*** au féminin et forment leur féminin en ***-tte*** :

*Un chien **grassouillet**. – Une femme **grassouillette**.*

*Un enfant **fluet**. – Une fillette **fluette**.*

— Cependant, certains adjectifs en ***-et*** ont leur féminin en ***-ète***.

*Un homme **inquiet**. – Une personne **inquiète**.*

*Un exemple **concret**. – Une remarque **concrète**.*

*Du pain **complet**. – Une journée **complète**.*

✓ Les adjectifs terminés en ***-ot***

— Les adjectifs terminés en ***-ot*** forment en général leur féminin en ***-ote*** :

*Un chien **idiot**. – Une chienne **idiote**.*

Cependant, certains adjectifs terminés en ***-ot*** forment leur féminin en ***-otte*** :

*Un homme **sot**. – Une femme **sotte**.*

*Un appartement **vieillot**. – Une armoire **vieillotte**.*

✓ Les adjectifs terminés en ***-s*** ou ***-x***

— Les adjectifs terminés en ***-s*** ou ***-x*** forment leur féminin en ***-sse*** ou ***-se*** :

*Un chien **gras**. – Une poule **grasse**.*

*Un tissu **épais**. – Une nuit **épaisse**.*

*Un homme **mauvais**. – Une huître **mauvaise**.*

*Des **faux** papiers. – De **fausses** informations.*

*Des cheveux **roux**. – Une chevelure **rousse**.*

*Un homme **jaloux**. – Une femme **jalouse**.*

✓ Les adjectifs terminés par un ***-f***

Les adjectifs terminés par un ***-f*** au masculin transforment le ***-f*** en ***-v*** au féminin et ajoutent un ***-e*** :

*Un homme **veuf**. – Une femme **veuve**.*

*Un vêtement **neuf**. – Une robe **neuve**.*

*Un enfant **vif**. – Une réaction **vive**.*

✓ Les adjectifs ***aigu***, ***suraigu***, ***ambigu***, ***exigu***, ***contigu*** forment leur féminin avec un ***-ë*** (lettre -e avec tréma) :

*Un son **aigu**. – Une douleur **aiguë**.*

*Un son **suraigu**. – Une sonorité **suraiguë**.*

*Un conseil **ambigu**. – Une personne **ambiguë**.*

*Un appartement **exigu**. – Une chambre **exiguë**.*

*Des appartements **contigus**. – Des maisons **contiguës**.*

✓ Les adjectifs terminés par ***-el***, ***-eil***, ***-ul***, ***-en***, ***-on***

Les adjectifs terminés par ***-el***, ***-eil***, ***-ul***, ***-en***, ***-on*** doublent la consonne finale au féminin et ajoutent un ***-e*** :

*Un homme **cruel**. – Une remarque **cruelle**.*

*Un **vieil** homme. – Une **vieille** maison.*

*Un match **nul**. – Une somme **nulle**.*

*Un meuble **ancien**. – Une carte **ancienne**.*

*Un **bon** fromage. – Une **bonne** confiture.*

✓ Liste d'adjectifs dont la forme au féminin est irrégulière.

Nous avons listé ci-après quelques adjectifs d'usage courant qui forment leur féminin de manière irrégulière :

Masculin	Féminin
beau	*belle*
bénin	*bénigne*
blanc	*blanche*
caduc	*caduque*
doux	*douce*
favori	*favorite*
fou	*folle*
franc	*franche*
frais	*fraîche*
gentil	*gentille*
grec	*grecque*
jumeau	*jumelle*
long	*longue*
malin	*maligne*
mou	*molle*
public	*publique*
sec	*sèche*
turc	*turque*
vieux	*vieille*
etc.	

☞ Remarque : devant un nom qui commence par une voyelle ou une ***-h*** muette, les adjectifs :

beau, nouveau, fou, mou, vieux deviennent :

bel, nouvel, fol, mol, vieil.

*Un homme **beau**. – Un **bel** homme.*

*Un âge **nouveau**. – Un **nouvel** âge.*

*Un **vieux** vêtement. – Un **vieil** habit.*

✘ Attention :

• Certains adjectifs s'utilisent pour le masculin et le féminin à la fois :

*Un homme **bougon**. – Une femme **bougon**.*

*Un enfant **grognon**. – Une fillette **grognon**.*

• Certains adjectifs ne s'emploient qu'au masculin :

*Un nez **aquilin**.*

• Certains adjectifs ne s'emploient qu'au féminin :

*Une dent **canine**.*

*Il est resté bouche **bée**.*

3. Nombre de l'adjectif qualificatif

Règle générale :

• On peut employer deux nombres pour les adjectifs qualificatifs (au masculin ou au féminin) : le singulier et le pluriel.

• Pour former le pluriel des adjectifs qualificatifs, on ajoute le plus souvent une ***-s*** .

*Un enfant **content**. – Des enfants **contents**.*

*Un chat **noir**. – Des chats **noirs**.*

*Une **grande** armoire. – De **grandes** armoires.*

Cependant, cette règle comporte plusieurs cas spéciaux,

listées ci-après :

✓ Les adjectifs qui se terminent par ***-s*** ou ***-x***

Les adjectifs qui se terminent par ***-s*** ou ***-x*** ont un singulier et un pluriel communs :

*Un chien **gros** et **gras**. – Des chiens **gros** et **gras**.*

*Un enfant **joyeux**. – Des enfants **joyeux**.*

*Un homme **heureux**. – Des hommes **heureux**.*

✓ Les adjectifs qui se terminent par ***-al***

— Les adjectifs qui se terminent par ***-al*** font en règle générale leur pluriel en ***-aux*** :

*Un repas **frugal**. – Des repas **frugaux.***

*Un homme **jovial**. – Des hommes **joviaux**.*

*Un froid **glacial**. – Des froids **glaciaux**.*

— Cependant, certains adjectifs terminés en ***-al*** prennent une -s au pluriel :

*banal – **banals***

*bancal – **bancals***

*fatal – **fatals***

*final – **finals***

*naval – **navals***

etc.

✓ Les adjectifs qui se terminent par ***-eau***

— Les adjectifs qui se terminent en ***-eau*** forment leur pluriel en ***-x*** :

*Un **nouveau** livre. – De **nouveaux** livres.*

*Un **beau** garçon. – De **beaux** garçons.*

*Un monde **nouveau**. – Des mondes **nouveaux**.*

4. Degrés de qualification des adjectifs qualificatifs

L'adjectif énonce une caractéristique, qui peut exister avec des degrés de signification différents.

4.1. Le positif

Dans ce cas, l'adjectif exprime simplement une qualité ou une caractéristique, sans introduire de nuance de comparaison.

*La voiture est **rapide**.*

*Laurent est **grand**.*

*Le froid est **glacial**.*

4.2. Le comparatif

Le comparatif exprime une qualité ou une caractéristique avec une idée de comparaison.

<u>Construction du comparatif</u>

Il est construit selon le modèle suivant :

Premier élément de comparaison + **plus** + adjectif qualificatif + **que** + 2e élément de comparaison

Premier élément de comparaison + **aussi** + adjectif qualificatif + **que** + 2e élément de comparaison

Premier élément de comparaison + **moins** + adjectif qualificatif + **que** + 2e élément de comparaison

Les éléments de comparaison sont le plus souvent des noms, des adjectifs ou des adverbes.

✓ Le comparatif de supériorité

On forme le comparatif de supériorité en ajoutant la forme ***plus ... que*** à l'adjectif.

*La voiture est **plus** rapide **que** le vélo.*

L'adjectif ***rapide*** s'applique à la fois aux deux noms : ***voiture*** et ***vélo*** ; cependant, le comparatif de supériorité ***plus ... que*** indique que la caractéristique de rapidité s'applique davantage à la voiture qu'au vélo.

*Cette voiture est **plus** rapide **que** confortable.*

Dans cet exemple, la voiture possède deux caractéristiques, représentées par les deux adjectifs : ***rapide*** et ***confortable***. Le comparatif de supériorité indique que la rapidité est plus importante que le confort. Les deux éléments de la comparaison sont ici des adjectifs.

*Laurent est **plus** grand **que** Jacques.*

Le 2e élément de comparaison est ici un nom : ***Jacques***.

✘ Attention : il existe trois adjectifs qui possèdent un comparatif de supériorité irrégulier :

- ***bon*** devient ***meilleur*** :

*Les huîtres sont **meilleures** en hiver.*

*Il est **meilleur** joueur que toi !*

- ***mauvais*** devient ***pire*** :

*Le remède est **pire que** le mal !*

- ***petit*** devient ***moindre*** :

*C'est un **moindre** danger.*

*C'est un **moindre** mal.*

✓ **Le comparatif d'égalité**

Il est indiqué par la forme ***aussi... que*** :

*Jacques est **aussi** grand **qu'**Hervé.*

*Le lièvre est **aussi** rapide **que** la tortue est lente.*

Dans cet exemple, la comparaison est faite entre deux caractéristiques (les adjectifs : ***rapide*** et ***lente***) qui sont attribuées à deux noms différents, le ***lièvre*** et la ***tortue***.

✓ **Le comparatif d'infériorité**

Il est indiqué par la forme ***moins ... que*** :

*Le vélo est **moins** rapide **que** la voiture.*

*Jacques est **moins** grand **que** Laurent.*

Dans ces deux exemples, les deux éléments de la comparaison sont des noms.

☞ Remarque : les éléments de la comparaison sont parfois sous-entendus.

*Il fait **plus** de vent (sous-entendu : cette semaine) **que** la semaine dernière.*

Le premier élément de la comparaison est sous-entendu.

*Ce pays où la vie est **plus** facile (sous-entendu : **que** le pays dans lequel je vis).*

Le deuxième élément de la comparaison est sous-entendu.

4.3. Le superlatif

Il décrit une qualité exprimée à son plus haut degré.

✓ **Le superlatif absolu**

Le superlatif est dit absolu lorsqu'il exprime une qualité ou une caractéristique à un très haut degré sans introduire de comparaison.

Lorsqu'on dit :

L'avion est ***très*** *rapide*,

on indique que l'avion possède la caractéristique de rapidité à un très haut degré et on ne le compare à aucun autre moyen de transport.

Le superlatif absolu est marqué par l'utilisation, devant un adjectif, des termes : ***très***, ***fort***, ***extrêmement***, ***infiniment***.

Il est ***extrêmement*** *intelligent.*

Il est ***fort*** *tard !*

✓ Le superlatif relatif

Le superlatif relatif, comme le superlatif absolu, exprime une qualité ou une caractéristique à un très haut degré, mais il introduit une comparaison.

C'est l'étudiant ***le plus*** *intelligent de sa promotion.*

Je veux acheter le modèle de voiture ***le plus*** *récent.*

Le superlatif relatif exprime dans ces deux exemples la supériorité.

C'est l'étudiant ***le moins*** *intelligent de sa promotion.*

C'est le logiciel de jeu ***le moins*** *cher du magasin.*

Le superlatif relatif exprime ici l'infériorité.

☞ Remarque : l'article peut être remplacé par un adjectif possessif :

Jacques est ***mon meilleur*** *ami.*

Nos plus *vieux vins sont parfois* ***nos meilleurs*** *vins.*

5. Fonctions de l'adjectif qualificatif

L'adjectif qualificatif, à l'intérieur d'une phrase, peut occuper trois fonctions :

✓ **Épithète**

Il est **épithète** lorsque la caractéristique qu'il exprime est directement appliquée au nom, sans l'intermédiaire d'un verbe ; dans ce cas, l'adjectif suit ou précède le nom ou le pronom auquel il se rapporte.

*Un sportif **acharné**.*

*Une **jolie** fille.*

☞ Remarques :

• Un même nom peut avoir plusieurs adjectifs épithètes :

*Une **jeune** fille **jolie** (ou une **jolie jeune** fille).*

• Un même adjectif épithète peut se rapporter à plusieurs noms :

*Des hommes et des femmes **enthousiastes**.*

✓ **Attribut**

L'adjectif est **attribut du sujet** :

— lorsqu'il est relié au sujet par le verbe *être*.

*Il est **heureux**.*

— lorsqu'il est relié au sujet par un verbe d'état (*sembler, paraître, devenir, rester, etc.*) :

*Elle semble très **inquiète** ce soir.*

— lorsqu'il est relié au sujet par un verbe d'action intransitif (*naître, vivre, mourir, partir, etc.*) :

*Il vécut **seul** jusqu'à la fin de sa vie.*

L'adjectif est **attribut du complément d'objet** :

*Le succès l'a rendu **confiant** et **heureux**.*

✓ **En apposition**

*Très **reconnaissant**, il nous a remerciés de notre aide.*

*Le temps, très **ensoleillé**, permit à tout le monde de sortir.*

6. Accord de l'adjectif qualificatif

6.1. Règles d'accord

Règle générale : L'adjectif qualificatif, qu'il soit épithète, attribut ou en apposition, s'accorde en genre et en nombre avec le nom ou le pronom auquel il se rapporte.

***Elle** est **heureuse**.*

L'adjectif ***heureuse*** est au féminin singulier parce qu'il qualifie le pronom ***elle***, qui est au féminin singulier.

*Les enfants sont très **agités** ce soir.*

L'adjectif ***agités*** est au masculin pluriel parce qu'il qualifie le nom ***enfants***, qui est au masculin pluriel.

✓ L'adjectif qui se rapporte à plusieurs noms est au pluriel :

***Souples** et **silencieux,** les **chats** ont disparu dans la nuit.*

Les adjectifs ***souples*** et ***silencieux*** sont au masculin pluriel parce qu'ils qualifient le nom ***chats***, qui est au masculin pluriel.

☞ Remarque : si l'adjectif placé à la suite de plusieurs noms ne se rapporte qu'au dernier nom énuméré, l'accord se fait uniquement avec ce nom et non plus avec les précédents.

*Elle a fait preuve à cette occasion d'un courage et d'une sensibilité **communicative**.*

✓ Si l'adjectif se rapporte à plusieurs noms de genre différent (masculin et féminin), l'adjectif est au pluriel :

*La mère et son enfant sont **contents** de sortir dans le parc.*

Le nom ***mère*** est féminin singulier, le nom ***enfant*** est masculin singulier. L'adjectif qualificatif ***contents***, qui se rapporte aux deux noms, est masculin pluriel.

*La petite fille et son frère semblent **fâchés**.*

✘ Attention :

- Dans une phrase, il convient de bien identifier le nom auquel se rapporte l'adjectif :

*Une veste de cuir **tachée**.*

L'adjectif qualificatif ***tachée*** se rapporte au nom féminin ***veste***.

*Un plat de viande **succulent**.*

L'adjectif qualificatif ***succulent*** se rapporte au nom masculin ***plat***.

6.2. Le cas des adjectifs composés

— Lorsque deux adjectifs se suivent et forment un adjectif composé, les deux adjectifs s'accordent tous deux avec le nom (ou le pronom) auquel ils se rapportent.

*Il faut que tu raccompagnes tes amis chez eux : ils sont **ivres morts** !*

*La saveur **aigre-douce** de ce clafoutis aux cerises est bien agréable.*

— Dans un adjectif composé, lorsque le premier terme est un adverbe (ou un adjectif employé comme adverbe), un mot invariable ou une abréviation modifiant le deuxième terme (qui est un adjectif), le premier terme est invariable et l'adjectif s'accorde en genre et en nombre avec le nom (ou pronom) :

Regarde ces deux bébés ***nouveau-nés*** *!*

Je n'achète que des haricots ***extra-fins****.*

Les fluctuations boursières sont des signes ***avant-coureurs*** *de perturbations économiques.*

Faites attention aux rayons ***infra-rouges*** *!*

— Les adjectifs composés désignant des couleurs restent invariables :

Je n'aime que les chemises ***jaune pâle****.*

Mes fleurs préférées sont ***bleu clair****.*

✓ Le cas des adjectifs ***nu*** et ***demi***

— Placés devant le nom, ils sont invariables :

Il avait pris l'habitude de marcher ***nu****-pieds dans sa chambre.*

Tu as plus d'une ***demi****-heure de retard !*

Je voudrais une ***demi-****baguette, s'il vous plaît !*

Mon amie a été ***demi****-ruinée par la chute de ses actions en bourse.*

Dans cet exemple, ***demi*** est employé comme adverbe placé devant un adjectif ou un participe ; dans ce cas, il reste aussi invariable.

— Placés après le nom, ces deux adjectifs s'accordent avec ce dernier, en genre pour ***demi*** et en genre et en nombre pour ***nu*** :

La petite fille courait pieds ***nus*** *sur la plage.*

Il est neuf heures et ***demie***
(sous-entendu : *neuf heures et une* ***demie****,* l'accord se fait avec ***heure***).

En revanche, dans la phrase :

*Cette horloge ne sonne plus les **demies** !*

demies est ici employé comme nom et il devient donc variable.

CHAPITRE 5

LE DÉTERMINANT

1. Définition et espèces de déterminants

1.1. Définition et caractéristiques

Définition du déterminant :

■ On appelle « **déterminant** » les **articles** et les **adjectifs non qualificatifs** (appelés **adjectifs déterminatifs**) qui sont les constituants obligatoires du groupe nominal.

■ Les déterminants présentent des caractéristiques communes :

a) Leur **emploi** est, en règle générale, obligatoire à l'intérieur du groupe nominal pour que la phrase garde son sens et soit grammaticalement correcte.

Le canari chante dans sa cage.
La suppression des déterminants *le* et *sa* rendrait la phrase incorrecte.

• Toutefois, **l'omission du déterminant** est possible dans certains cas énumérés ci-après ;

- devant un nom propre de personne ou de ville :

  Paul joue au tennis et Rosalie regarde un film à la télévision.

  Paris est la capitale de la France.
  Lyon est une grande ville.

- devant les noms de jours et de mois :

  Décembre est un mois triste et pluvieux, je préfère prendre mes vacances en mai.

- devant un nom ou un groupe nominal mis en apposition, attribut du sujet ou employé comme adjectif :

  *Cette femme, **cantatrice célèbre**, a chanté dans un opéra de Verdi à Paris la semaine dernière.*

  *Mon frère est **directeur d'usine**.*
  *Le sapin, **roi** des forêts.*
  *Le lion, **terreur** de la savane.*

- dans des énumérations :

  Meubles, vêtements, livres, tout avait brûlé dans l'incendie.

- devant des noms mis en apostrophe ou devant un nom employé comme interjection :

  Français, écoutez-moi.

  Silence ! Courage ! Patience !

- sur des annonces, pancartes ou titres :

  Appartement à louer. – Peinture fraîche – Tremblement de terre en Indonésie.

- dans un grand nombre de proverbes, de phrases et d'expressions figés :

  Ventre affamé n'a point d'oreilles.

  Noblesse oblige !

Avoir faim, avoir soif, avoir (prendre) peur, par hasard, prendre soin, etc.

• La **répétition du déterminant** :

— A l'intérieur de la phrase, le déterminant est en règle générale répété devant chaque nom :

***Le** chat et **le** chien se battent souvent.*

— Toutefois, le déterminant n'est pas répété dans des expressions toutes faites utilisant des noms unis par l'usage :

Les ponts et chaussées – Les eaux et forêts.

Les frères et sœurs. – Les tenants et aboutissants.

De même, il n'est pas répété lorsque deux noms unis par une conjonction de coordination désignent une seule et même chose ou personne :

***Mon** ami et associé.*

— Il faut répéter le déterminant lorsqu'il est employé avec plusieurs adjectifs épithètes de noms distincts qui ont un sens différent, voire opposé :

*Veux-tu **le** grand ou **le** petit bureau ?*

Cependant, lorsque les adjectifs sont épithètes d'un même nom, le déterminant ne figure qu'une fois :

***Le** grand et bel appartement.*

***Ma** fidèle et serviable amie.*

b) La **place** des déterminants

Le déterminant est toujours placé devant le nom auquel il se rapporte ; il peut être séparé de ce nom par plusieurs autres mots (un adjectif qualificatif épithète, un adjectif numéral ou indéfini par exemple) qui sont en général placés devant lui.

***Le** jeune garçon voulait devenir explorateur.*

***Nos** trois amis sont partis ensemble.*

*Écoute **ces quelques** conseils.*

✘ Attention à l'emploi particulier de ***tout*** avec un autre déterminant : dans ce cas, l'article ou l'adjectif possessif ou démonstratif s'intercale entre l'adjectif indéfini ***tout*** et le nom qu'il détermine :

***Toutes les** feuilles sont tombées de l'arbre.*

***Tous mes** amis sont partis.*

***Tous ces** discours m'ennuient.*

c) **Règle d'accord** des déterminants

Les déterminants s'accordent en genre et en nombre avec le nom auquel ils se rapportent :

***Le** film ; **les** films. —**ma** chemise ; **mes** chemises.*

1.2. Espèces de déterminants

Le terme de **déterminant** regroupe :

✓ L'**article** :

• L'**article défini** : ***l'****ordinateur et* ***la*** *disquette.*

• L'**article indéfini** : ***une*** *feuille de papier.*

• L'**article partitif** : *Donne-moi **du** pain, s'il te plaît.*

N.B. — Les différentes catégories d'articles sont détaillés dans le § 2 de ce chapitre (p. 192).

✓ Les **adjectifs déterminatifs**, qui déterminent eux aussi le nom, sont des déterminants.

***Mon** chat s'est enfui ce matin.*

***Cet** enfant est très doué.*

Les mots *mon* et *cet* indiquent de quel *chat* et de quel *enfant* on parle : ce sont des adjectifs déterminatifs.

Il existe plusieurs catégories d'adjectifs déterminatifs :

— L'adjectif possessif :

***Son** ordinateur est sur **son** bureau.*
*(**son** est un adjectif possessif)*

— L'adjectif démonstratif :

***Cette** maison est celle de mon oncle.*
*(**cette** est un adjectif démonstratif)*

— L'adjectif interrogatif :

***Quelle** est la vitesse de cette voiture ?*
*(**quelle** est un adjectif interrogatif)*

— L'adjectif indéfini :

***Certains** habitants disent que cette maison est hantée.*
*(**certains** est un adjectif indéfini)*

— L'adjectif numéral :

*Ce modèle de voiture est proposé avec **deux** portes ou **quatre** portes.*
*(**deux** et **quatre** sont des adjectifs numéraux)*

N.B. — Les différentes catégories d'adjectifs déterminatifs, avec leurs formes, leurs règles d'accord et leurs emplois particuliers sont détaillées dans les paragraphes 3 à 8 de ce chapitre (p. 195 à 209).

2. L'article

2.1. Définition de l'article

L'article est un déterminant variable que l'on place devant un nom pour indiquer si ce nom est pris dans un sens **déterminé**, **indéterminé** ou **partitif**.

2.2. Catégories et emplois de l'article

a) L'article défini

✓ Emploi

L'article défini est placé devant le nom d'une chose ou d'un être déterminé de manière précise. Il peut s'agir :

• d'un être ou d'une chose désignés en général (catégorie, espèce, matière) :

__La__ confiance s'oppose à __la__ méfiance.

__Le__ chien est un animal fidèle.

Elle aime travailler __le__ bois.

• d'un être ou d'une chose préalablement déjà connus ou définis par la personne qui parle :

__Le__ four micro-ondes est tombé en panne.

Regardons quels sont __les__ nouveaux films de la semaine.

✓ Formes

• Les formes de l'article défini sont les suivantes :

	singulier	pluriel
masculin	*le*	*les*
féminin	*la*	*les*

• **L'article défini élidé** : quand *le* et *la* sont suivis d'un mot commençant par une voyelle ou une ***-h*** muette, ***-e*** et ***-a*** s'élident (c'est-à-dire qu'ils sont supprimés) et sont remplacés par une apostrophe.

Par exemple, on dira :

*l'abeille (*et non : *la abeille),*

*l'homme (*et non : *le homme).*

• **L'article défini contracté** : dans ce cas, l'article ***le*** ou ***les*** est contracté (c'est-à-dire combiné, fondu) avec les prépositions ***à*** et ***de*** :

au	remplace	***à le***
aux	remplace	***à les***
du	remplace	***de le***
des	remplace	***de les***

*Allons **au** village acheter la bonne brioche **du** boulanger pour le goûter **des** enfants.*

b) L'article indéfini

✓ Emploi

L'article indéfini se place devant un nom déterminé de manière vague, imprécise ou incomplète :

***Un** homme irascible. – **Une** femme grande.*

Au pluriel, il indique une quantité indéterminée :

***Des** enfants s'avançaient en chantant.*

✓ Formes

• Les formes de l'article indéfini sont les suivantes :

	singulier	pluriel
masculin	***un***	***des***
féminin	***une***	***des***

✘ Attention à ne pas confondre ***des***, article défini contracté (= *de les*) avec ***des***, article indéfini (pluriel de *un, une*) :

*Les jouets **des** enfants.*

(des = article défini contracté*)*

***Des** enfants jouaient. (des* = article indéfini*)*

c) L'article partitif

✓ Emploi

L'article partitif est placé devant le nom pour désigne[r] une partie d'un tout, une certaine quantité indéterminé[e] (concrète ou abstraite).

*Manger **du** pain.– Avoir **de la** patience.*

✓ Formes

• Les formes de l'article partitif sont les suivantes :

	singulier	pluriel
masculin		
• devant une consonne :	***du***	***des***
• devant une voyelle :	***de l'***	***des***
féminin		
• devant une consonne :	***de la***	***des***
• devant une voyelle :	***de l'***	***des***

*Il aime boire **du** jus d'orange avec **de l'**eau.*

*Elle rajoute **de la** sauce et **des** piments sur sa viande*

☞ Remarque : au pluriel, la valeur partitive de ***des*** n'es[t] pas tout à fait reconnue car l'on admet aussi qu'i[l] peut s'agir de l'article indéfini pluriel ***des*** :

***Des** pommes et **des** poires.*

3. L'adjectif possessif

3.1. Définition de l'adjectif possessif

L'adjectif possessif indique à qui appartient une personne ou une chose :

Son chien est très gentil.

C'est ***mon*** *crayon, pas le tien !*

Son, ***mon*** indiquent de quel *chien* et de quel *crayon* il s'agit : ce sont des adjectifs déterminatifs ; ils indiquent aussi qui est le possessur de *chien* et de *crayon* : ce sont des adjectifs possessifs.

3.2. Formes des adjectifs possessifs

Masculin	Féminin	Pluriel (pour les deux genres)
Un seul possesseur		
mon	*ma*	*mes*
ton	*ta*	*tes*
son	*sa*	*ses*
Un ou plusieurs possesseurs		
notre	*notre*	*nos*
votre	*votre*	*vos*
plusieurs possesseurs		
leur	*leur*	*leurs*

• *mon, ma, mes* indiquent que le possesseur est de la **1re personne** du **singulier**.

• *ton, ta, tes* indiquent que le possesseur est de la **2e personne** du **singulier**.

• *son, sa, ses* indiquent que le possesseur est de la **3e personne** du **singulier**.

• *notre, nos* indiquent que le possesseur est de la **1r** **personne** du **pluriel.**

• *votre, vos* indiquent que le possesseur est de la **2e per** **sonne** du **pluriel**.

• *leur, leurs* indiquent que le possesseur est de la **3e per** **sonne** du **pluriel**.

Dans la phrase :

Ta chaîne hi-fi est neuve,

l'adjectif possessif ***ta*** indique :

— qu'il y a un possesseur ;

— que ce possesseur est à la 2e personne du singulier ;

— que l'objet possédé est féminin singulier.

3.3. Accord et emploi de l'adjectif possessif

Règle générale d'accord de l'adjectif possessif

• L'adjectif possessif prend la forme correspondante a nombre (singulier ou pluriel) et à la personne (1re, 2 ou 3e personne) du possesseur.

• L'adjectif possessif s'accorde en genre (masculin o féminin) et en nombre avec l'objet possédé.

*Merci de nous prêter **ta** voiture pour **notre** week-en à la campagne.*

—L'adjectif possessif ***ta*** est la forme correspondant à l 2e personne du singulier, qui est celle du possesseur d la *voiture* ; il est au féminin singulier car l'objet possé- dé *voiture* est au féminin singulier.

—L'adjectif possessif ***notre*** est la forme correspondan à la 1re personne du pluriel (*nous*) ; il est au mascul car le nom *week-end* est masculin.

—Cette règle comporte toutefois quelques exceptions, listées ci-après :

✓ On emploie ***mon***, ***ton***, ***son***, au lieu de ***ma***, ***ta***, ***sa***, devant un mot qui commence par une voyelle ou par une ***h*** muette :

*À **son** arrivée, tout le monde sortit pour le saluer.*

Le mot féminin *arrivée* commence par une voyelle ; on utilise l'adjectif possessif ***son*** au lieu de ***sa***.

*Encore choqué par **mon** aventure, je racontai **mon** histoire à ses amis.*

Le mot féminin *aventure* commence par une voyelle ; le mot féminin *histoire* commence par une *-h* muette. Dans ces deux cas, on utilise l'adjectif possessif ***mon*** au lieu de ***ma***.

✓ Lorsque le sens de la phrase indique clairement qui est le possesseur de quelque chose, l'article remplace l'adjectif possessif :

*J'ai mal à **la** tête.*

*Elle a **les** cheveux qui tombent beaucoup en ce moment !*

☞ Remarque : l'adjectif possessif peut être maintenu si l'on veut insister sur la possession :

*Je l'ai vu de **mes** yeux arracher le sac de la vieille dame !*

✓ Lorsque le possesseur est indiqué par le pronom réfléchi ***se*** (emploi d'un verbe pronominal), l'article remplace l'adjectif possessif :

*Je **me** suis foulé **la** cheville en jouant au tennis.*

*Elle **se** lave **les** cheveux très souvent.*

4. L'adjectif démonstratif

4.1. Définition de l'adjectif démonstratif

L'adjectif démonstratif est utilisé pour déterminer les êtres ou les choses désignés par le nom en l'indiquant clairement.

Cette chemise en soie te va très bien.

Ces roses rouges sont superbes !

Dans ces exemples, les adjectifs démonstratifs ***cette*** et ***ces*** permettent d'identifier de quelle *chemise* et de quelles *roses* il est question.

4.2. Formes de l'adjectif démonstratif

Singulier

✓ au masculin :

• **ce** (devant une consonne)

***ce** feu de bois – **ce** couteau – **ce** bureau.*

• **cet** (devant une voyelle ou une -*h* muette)

***cet** ordinateur – **cet** homme – **cet** enfant.*

✓ au féminin :

• **cette**

***cette** table – **cette** femme – **cette** fleur.*

Pluriel

✓ au masculin et et féminin :

• **ces**

***ces** bureaux – **ces** ordinateurs.*

***ces** femmes – **ces** fleurs.*

4.3. Accord et emploi de l'adjectif démonstratif

Règle générale d'accord : les adjectifs démonstratifs s'accordent en genre et en nombre avec le nom auquel ils se rapportent.

cet homme – cette femme – ces enfants. (**cet**, **cette**, **ces** en gras)

✓ L'adjectif démonstratif est toujours placé devant le nom. Suivant les cas, il peut :

— désigner simplement quelqu'un ou quelque chose :

Ce jour-là, un lundi de Pâques, j'étais allé acheter un gros œuf en chocolat pour mes enfants.

— être utilisé pour mettre en valeur le nom :

*Mon ami, **cet** étourdi, a oublié ses lunettes chez moi hier soir.*

✓ Les particules ***-ci*** et ***-là*** (jointes au nom par un trait d'union) servent à nommer les êtres ou les objets en fonction de leur distance, dans le temps ou dans l'espace :

*Je ne veux pas **cette** pomme**-ci**, mais **cette** pomme**-là**.*

Cette *pomme-ci* désigne la pomme qui est la plus proche (près de moi) ; cette *pomme-là* désigne la pomme qui est plus éloignée (loin de moi).

*En **ce** temps**-là**, les voitures n'existaient pas et il fallait voyager à pied ou à cheval.*

(il s'agit d'une époque éloignée dans le temps)

*Il n'est pas beaucoup sorti de chez lui **ces** jours**-ci**.*

(*ces* ***jours-ci*** : ces derniers jours, qui viennent de s'écouler)

5. L'adjectif numéral

5.1. Définition de l'adjectif numéral

Les adjectifs numéraux permettent d'indiquer le nombre, l'ordre ou le rang de personnes ou de choses.

*Il y a **trois** stylos sur la table.*

*C'est le **quatrième** chocolat que tu manges ce soir !*

Ils sont partagés en adjectifs numéraux cardinaux et en adjectifs numéraux ordinaux.

5.2. L'adjectif numéral cardinal

a) Définition de l'adjectif numéral cardinal

L'adjectif numéral cardinal indique les nombres :

*Un autobus de **trente** places.*

*Une voiture avec **quatre** roues motrices.*

b) Formes des adjectifs numéraux cardinaux

✓ Les adjectifs numéraux peuvent être formés d'un seul chiffre. Ce sont :

— les nombres de ***un*** à ***seize*** ;

un, deux, trois, quatre, huit, quinze, seize.

— les nombres servant à exprimer les dizaines (sauf *soixante-dix*, *quatre-vingts* et *quatre-vingt-dix*) :

dix, vingt, trente, quarante, cinquante, soixante.

— ***cent*** et ***mille***.

✓ Les adjectifs numéraux peuvent être composés de deux chiffres :

dix-sept, vingt-quatre, trente-huit, *etc.*

— Dans les adjectifs composés de deux chiffres inférieurs à *cent*, les dizaines sont reliés aux unités par un trait d'union.

dix-neuf, quarante-trois, soixante-huit, *etc.*

✘ Attention :

• devant l'unité ***un***, le trait d'union est remplacé par la conjonction de coordination ***et*** :

vingt et un, quarante et un, soixante et un, *etc.*

• On dira aussi : ***soixante et onze***.

— Dans les adjectifs supérieurs à *cent* composés de plusieurs chiffres, les adjectifs ne sont pas reliés entre eux par une conjonction ou par un trait d'union.

cent vingt, trois cents, *etc.*

c) Accord des adjectifs numéraux cardinaux

Règle générale : les adjectifs numéraux cardinaux sont invariables.

J'ai roulé en voiture à une vitesse moyenne de ***cent quarante*** *kilomètres heure.*

Il a gagné au jeu une somme de ***deux mille*** *francs.*

Cependant, cette règle comporte plusieurs exceptions énumérées ci-après :

✓ L'adjectif numéral ***mille*** est toujours invariable :

Peux-tu me prêter ***deux mille*** *francs ?*

✘ Attention : les mots ***millier***, ***million***, ***milliard***, etc. sont variables car ils sont employés comme noms :

Des ***milliers*** *de personnes affluaient sur la place.*

☞ Remarque : ***mille***, employé comme mesure nautique, devient un nom commun variable :

Son bateau a déjà parcouru ***neuf milles***.

✓ Les adjectifs ***vingt*** et ***cent*** peuvent, soit se mettre a
pluriel (ils prennent alors une *-s*), soit rester invariable

— ***vingt*** et ***cent*** varient en nombre lorsqu'ils sont pr
cédés d'un nombre qui les multiplie, et qu'ils ne so
pas suivis d'un autre nombre. Ils signifient alors pl
sieurs fois *vingt* ou plusieurs fois *cent* :

*J'ai perdu un billet de **cinq cents** francs.*

*Tu me dois **quatre-vingts** francs.*

— Cependant, lorsque ***vingt*** et ***cent*** sont suivis d'u
autre adjectif numéral, ils restent invariables :

*Cette année, il y a **quatre-vingt-cinq** étudiants da
ma promotion.*

*Il possède une collection de **quatre cent cinquan**
cartes postales.*

✗ <u>Attention</u> : ***vingt*** et ***cent***, employés dans le sens d
vingtième et *centième*, sont aussi invariables :

*Chapitre **quatre-vingt**.*

*Page **six cent**.*

✓ L'adjectif numéral ***un*** a un genre variable :

*Le Conte des **mille et une** nuits.*

*J'ai mangé seulement **un** fruit.*
*J'ai mangé **une** pomme.*

5.3. L'adjectif numéral ordinal

a) Définition de l'adjectif numéral ordinal

L'adjectif numéral ordinal indique l'ordre, le rang :

*Jean est assis dans le **deuxième** fauteuil de la **qu
trième** rangée.*

*Pour venir chez moi, prends la **troisième** rue à droi*

b) Forme de l'adjectif numéral ordinal

L'adjectif numéral ordinal est formé à partir de l'adjectif numéral cardinal, en lui ajoutant le suffixe ***-ième*** :

cent vingt-troisième – deux cent quatre-vingtième.

☞ Remarque :

• L'adjectif numéral ordinal correspondant à l'adjectif numéral cardinal ***un*** est : ***premier***.

• L'adjectif numéral ordinal correspondant à l'adjectif numéral cardinal ***deux*** est : ***deuxième*** ou ***second***.

c) Accord et emploi de l'adjectif numéral ordinal

Les adjectifs numéraux ordinaux sont variables :

Les ***derniers*** *voyageurs arrivés eurent des difficultés à se loger.*

L'adjectif numéral ordinal est en général utilisé pour marquer l'ordre et le rang. Cependant, dans certains cas, il est remplacé par l'adjectif numéral cardinal (invariable) :

✓ pour indiquer l'organisation d'un livre :

Chapitre ***trois****, page* ***trois cent vingt et un****.*

✓ pour donner un numéro de rue ;

✓ pour indiquer le rang d'un prince ou d'un roi dans une dynastie :

Louis ***quatorze*** *– Henri* ***quatre****.*

✗ Attention : seul l'adjectif ordinal ***premier*** n'est pas remplacé par l'adjectif cardinal ***un*** :

François ***premier****.*

☞ Remarque : les **adjectifs multiplicatifs**, qui indiquent combien de fois est multiplié un nombre d'êtres ou de choses, sont rattachés aux adjectifs numéraux ordinaux :

simple, double, triple, quadruple, quintuple ... cen tuple, etc.

6. L'adjectif indéfini

6.1. Définition de l'adjectif indéfini

L'adjectif indéfini désigne de façon vague et générale l nom qu'il détermine :

> ***Certains** étudiants disent que l'examen était trè facile.*
>
> *Les **mêmes** personnes louent aujourd'hui ce qu'elle critiquaient hier.*

Dans ces deux phrases, les *étudiants* et les *personnes* n sont pas désignés de façon bien définie : ***certains*** e ***mêmes*** sont des adjectifs indéfinis.

☞ Remarque : les *adjectifs indéfinis*, même s'ils n déterminent pas le nom de façon précise, font auss partie des *adjectifs déterminatifs*.

6.2. Formes de l'adjectif indéfini

Formes des adjectifs indéfinis les plus courants :

	singulier	pluriel
masculin	*aucun*	–
féminin	*aucune*	–
masculin / féminin	*autre*	*autres*
masculin	*certain*	*certains*
féminin	*certaine*	*certaines*
masculin / féminin	*chaque*	–
masculin / féminin	*même*	*mêmes*

Formes des adjectifs indéfinis les plus courants (suite) :

	singulier	pluriel
masculin	*nul*	–
féminin	*nulle*	–
masculin / féminin	–	*plusieurs*
masculin	*quel ... que*	*quels ... que*
féminin	*quelle ... que*	*quelles ... que*
masculin / féminin	*quelconque*	*quelconques*
masculin / féminin	*quelque*	*quelques*
masculin	*tel*	*tels*
féminin	*telle*	*telles*
masculin	*tout*	*tous*
féminin	*toute*	*toutes*

6.3. Accord et emploi de l'adjectif indéfini

Les adjectifs indéfinis s'emploient en général sans article :

Toutes *les feuilles de l'arbre sont tombées.*

Nul *doute qu'il soit déjà rentré chez lui.*

Je n'ai vu ***aucun*** *enfant jouer dans la rue ce matin.*

Cependant, les adjectifs indéfinis *autre*, *certain*, *même*, *quelconque*, *quelque*, *tel*, *tout* peuvent s'employer avec l'article :

Un ***autre*** *candidat saura probablement répondre à cette question.*

Un ***certain*** *Duval prétend vous connaître.*

Les ***quelques*** *invités qui restaient prirent un dernier verre.*

Une ***telle*** *nouvelle est vraiment inattendue.*

Particularités dans l'emploi de l'adjectif indéfini

• *Certain* peut être adjectif indéfini ou adjectif qualificatif

__Certains__ soirs, elle se sent très fatiguée.
(adjectif indéfini)

Elle est __certaine__ de l'avoir vu aujourd'hui.
(adjectif qualificatif)

• *Chaque* est toujours suivi d'un nom :

Il lui téléphone __chaque__ jour pour prendre de ses nou-velles.

• *Même* peut être adjectif ou adverbe :

Lorsque même est adjectif (il signifie : *pareil*), il s'ac-corde avec le nom auquel il se rapporte :

Ce sont les __mêmes__ objectifs qui l'ont poussé à agir.

Eux-__mêmes__ sont de votre avis.

Ces __mêmes__ livres ont servi à mes enfants.

Lorsque *même* a le sens de : *quand même*, *aussi*, il es[t] adverbe et donc invariable ; il peut modifier un adjecti[f] ou un verbe :

Ses chiens, __même__ les plus résistants, sont morts.

Téléphonez-nous, __même__ après minuit.

• *quelque* peut être adjectif ou adverbe.

Quelque, dans le sens de : *une certaine quantité de, plu-sieurs*, est un adjectif variable, qui s'accorde avec l[e] nom auquel il se rapporte :

Je cueille __quelques__ fraises.

Il y a __quelques__ semaines, je suis allé faire du ski.

✘ Attention à ne pas confondre ***quelque***, adjectif indé-fini variable, avec ***quel que***, adjectif relatif variabl[e] et toujours attribut du sujet :

***Quelles que** soient ces personnes, elles vous dviront l[a]* *même chose que moi.*

***Quel que** soit votre avis, il n'en fera qu'à sa tête.*

Dans le sens de : *environ* ou *si*, *quelque* peut modifier un adjectif ou un participe. Il devient alors adverbe invariable :

*Il y a **quelque** trente ans, mon oncle est venu s'installer en France.*

***Quelque** justifiés que soient les arguments qu'elles aient donnés, je ne suis toujours pas de leur avis.*

• *Tout, toute* peut être adjectif indéfini, adjectif qualificatif, nom, adverbe :

***Toute** nouvelle, bonne ou mauvaise, est préférable à l'incertitude.*
(adjectif indéfini variable)

***Tout** village d'une certaine taille a son boulanger.*
(adjectif indéfini variable)

***Toute** l'assemblée applaudit le virtuose.*
Toute est adjectif qualificatif variable, car il s'agit ici de l'assemblée toute entière.

***Tout** était silencieux.*
(*tout* employé comme nom)

*Il rassembla ses affaires, emballa le **tout** et disparut.*
(*tout* employé comme nom)

Lorsque *tout* modifie un adjectif (ou une locution équivalent à un adjectif ou un adverbe) et indique l'intensité, il est adverbe invariable :

*La petite fille est **tout** en larmes car il s'est blessé au genou en tombant.*

*Je suis **tout** ouïe !*

*La foule **tout** entière se dirigea vers la sortie du cinéma.*

Dans ces trois exemples, *tout(e)* signifie ici *tout à fait*
entièrement ; il est adverbe et donc invariable.

En revanche, *tout*, bien qu'il garde une fonction d'ad
verbe, devient variable en genre et en nombre lorsqu'i
est placé devant un mot féminin qui commence par une
consonne ou l'*h* aspirée :

Elles sont ***toutes*** *contentes de l'avoir retrouvé.*

Elle est ***toute*** *honteuse.*

7. L'adjectif relatif

L'adjectif relatif relie la proposition qu'il introduit avec
un nom déjà exprimé.

Il est peu usité aujourd'hui dans la langue courante. On
le trouve encore dans la langue administrative et juri-
dique.

Formes des adjectifs relatifs

	singulier	pluriel
masculin	*lequel*	*lesquels*
féminin	*laquelle*	*lesquelles*
masculin	*duquel*	*desquels*
féminin	*de laquelle*	*desquelles*
masculin	*auquel*	*auxquels*
féminin	à *laquelle*	*auxquelles*

Il avait enfin trouvé une maison, ***laquelle*** *maison était très bien entretenue.*

Les acheteurs intéressés par l'entreprise s'étaient manifestés rapidement, ***lesquels*** *acheteurs avaient indiqué leur prix.*

8. L'adjectif interrogatif ou exclamatif

L'adjectif interrogatif est placé avant le nom qu'il détermine pour interroger l'être ou de la chose représenté par ce nom.

Quelle *heure est-il ?*

Quelle *voiture ?* ***Quel*** *conducteur ?*

Formes des adjectifs interrogatifs

	singulier	pluriel
masculin	*quel*	*quels*
féminin	*quelle*	*quelles*

Ces mêmes adjectifs peuvent aussi être utilisés comme des **adjectifs exclamatifs** : ils servent alors à marquer l'exclamation (étonnement , colère, admiration, etc.) :

Quel *courage !*

Quel *bonheur de te revoir enfin !*

L'adjectif interrogatif et exclamatif s'accorde en genre et en nombre avec le nom auquel il se rapporte :

Quel *appétit !*

Quelle *chance vous avez !*

Quelles *voitures préfères-tu ?*

CHAPITRE 6

L'ADVERBE

1. Définition et caractéristiques

1.1. Définition de l'adverbe

L'adverbe est un mot invariable qui est utilisé pour modifier le sens d'un autre mot.

Ces mots peuvent être des noms, des adjectifs, des verbes ou même d'autres adverbes.

*Il a **trop** de <u>travail</u> !*
L'adverbe *trop* modifie le nom *travail*.

*Elle est **rarement** <u>malade</u>.*
L'adverbe *rarement* modifie l'adjectif *malade*.

*Elle est **bien** <u>habillée</u>.*
L'adverbe *bien* modifie le participe *habillée*.

***Aujourd'hui**, j'<u>irai</u> à mon bureau en voiture.*
L'adverbe de temps *aujourd'hui* est joint au verbe *aller*.

Il mange ***peu*** *le soir.*
L'adverbe *peu* modifie le sens du verbe *manger*.

Ils ont été ***très*** *largement indemnisés.*
L'adverbe *très* modifie l'adverbe *largement*.

1.2. Locutions adverbiales

Une locution adverbiale est composée de plusieurs mots, en général une préposition et un nom ou un adjectif, équivalant à un adverbe :

Les invités arrivaient ***peu à peu****.*

Elle doit probablement se promener ***quelque part*** *dans la campagne environnante.*

Elle venait lui rendre visite de ***temps en temps****.*

2. Catégories d'adverbes

2.1. Adverbes d'affirmation

Exemples d'adverbes d'affirmation courants

assurément	*sans doute*
aussi	*si*
certainement	*soit*
certes	*surtout*
même	*volontiers*
oui	*vraiment, etc.*

Ce film est ***vraiment*** *passionnant.*

As-tu entendu ce que je t'ai dit ? – ***Oui****.*

Prendrez-vous un autre café ? – ***Volontiers****.*

Nous pourrons ***certainement*** *trouver une solution à ce problème complexe.*

2.2. Adverbes de négation

Exemples d'adverbes de négation courants

ne	*non*
ne … aucun	*nullement*
ne … jamais	*pas*
ne … pas	*pas du tout*
ne … personne	*point, etc.*
ne … plus	
ne … rien	
ne … point	

*Je **n**'ai vu **personne** entrer ou sortir de la maison.*

*Elle **n**'a **nullement** l'intention de s'en aller.*

*Il **ne** disait **rien** et attendait sa réponse.*

✓ Emploi de *non*

— L'emploi de la négation *non* peut résumer, dans une réponse, une pensée ou une proposition :

*Mon frère croit qu'elle viendra avec nous, moi **non**.*

*Pensez-vous que le livre sera un jour remplacé par l'édition électronique ? – **Non**.*

— *non*, utilisé comme préfixe négatif, renforce l'idée de négation :

*Le juge du tribunal a prononcé un **non**-lieu.*
(emploi avec un nom)

*Ce que tu dis est un **non**-sens !*
(emploi avec un nom)

*Un stage **non** rémunéré.*
(emploi avec un participe)

***Non** loin de là se trouvait un club de tennis.*
(emploi avec un adverbe)

***Non** content de son succès, il voulait aller plus loin.* (emploi avec un adjectif)

— *non* peut opposer des mots ou des propositions :

*Je souhaite que tu m'aides, **non** que tu cherches à me décourager.*

*C'est l'intérêt et la curiosité, **non** l'obtention d'un diplôme, qui le poussent à poursuivre ses études.*

✓ Emploi de *ne*

— *Ne* est employé seul :

• Dans certaines locutions courantes verbales ou adverbiales :

*Qu'à cela **ne** tienne, j'irai quand même !*

***Ne** vous déplaise, je ne suis pas de votre avis.*

*Je **n**'en ai cure.*

• Avec les verbes *cesser*, *oser*, *pouvoir*, *savoir* suivis d'un infinitif :

*Je **n**'ai pas osé lui dire ce que je pensais réellement.*

*Je **ne** peux croire à son innocence.*

*Elle **ne** cessait de rire tout en les regardant.*

*Je **ne** saurais répondre.*

• Avec la répétition de ***ni*** :

***Ni** elle **ni** lui **ne** pourront venir ce soir.*

***Ni** son âge **ni** son niveau **ne** lui permettent de concourir.*

• Dans des propositions interrogatives ou négatives introduites par ***que*** (dans le sens de : *pourquoi ?*) ou ***qui*** (dans le sens de : *quelle personne ?*) :

***Que ne** le disiez-vous ?*

***Qui n**'est pas d'accord ?*

— *Ne* explétif :

Ne s'emploie fréquemment d'une manière explétive, c'est-à-dire sans valeur grammaticale. Sa valeur négative se trouve alors fortement atténuée, ou même annulée. Le *ne* explétif est souvent facultatif.

• On le trouve après des verbes exprimant la crainte, comme *craindre*, *avoir peur*, *prendre garde*, *redouter*, *s'en falloir*, pris dans un sens affirmatif :

Je craignais qu'elle **ne** *m'entendît rentrer.*

Il s'en est fallu de peu qu'ils **ne** *meurent tous dans l'accident.*

On le trouve aussi après *de peur que*, *de crainte que* :

Il nous attendait au coin de la rue de peur que nous **ne** *trouvions sa maison.*

De crainte qu'il **n'***oublie, je lui ai rappelé l'heure de notre rendez-vous.*

✘ Attention :

• Après les verbes exprimant le **doute** ou la **négation** pris dans un sens affirmatif, le complément ou la proposition subordonnée qui suivent ne prennent pas *ne* :

Nous nions qu'il nous ait rencontré au cinéma.

Je doute qu'il me croie.

• Toutefois, lorsque ces verbes sont pris dans un sens interrogatif ou négatif, on emploie *ne* :

Je ne doute pas qu'il ne me croie.

2.3. Adverbes de manière

Exemples d'adverbes de manière courants

bien	*mal*
mieux	*pis*
plutôt	*ainsi*
même	*exprès*
gratis	*volontiers, etc.*

Je suis sûre qu'il l'a fait ***exprès*** *!*

Il va ***plutôt*** *mieux en ce moment.*

Les adverbes de manière peuvent aussi se présenter sous l'aspect :

✓ d'une locution adverbiale :

de bon gré — bon gré mal gré — à contrecœur — en vain — au hasard — à tâtons — à dessein — à loisir — à reculons — tour à tour — au fur et à mesure — à cœur joie, etc.

Il faisait très sombre et elle avança ***à tâtons*** *jusqu'à la porte.*

Il les accompagna ***à contrecœur*** *dans leur aventure.*

Elle s'en donnait à ***cœur joie****.*

✓ d'un adjectif qualificatif pris adverbialement :

Il parlait ***haut*** *et* ***fort****.*

Tu as intérêt à filer ***doux*** *maintenant !*

Hervé chante ***juste****.*

☞ Remarques :

• l'adjectif employé comme adverbe est toujours invariable. Dans les exemple suivants :

A. *J'ai perdu parce qu'ils étaient bien plus* ***forts*** *que moi !*

*B. Les flocons de neige tombaient **fort** maintenant et ils avaient du mal à s'en protéger.*

Exemple A : ***forts*** est employé comme adjectif ; il est donc variable.
Exemple B : ***fort*** est employé comme adverbe ; il est invariable.

• Exception : ***debout***, ***ensemble*** et ***pêle-mêle***, même lorsqu'ils sont employés comme adjectifs, restent invariables :

*Ils sont tous **debout** en signe de respect pour l'accueillir.* (adjectif invariable)
*Mettez-vous **debout** !* (adverbe invariable)

✓ **d'un adjectif au féminin auquel on a ajouté le suffixe *-ment* :**

• adjectif féminin : *courageuse*.
adverbe : *courageusement*.

*Il fait face **courageusement** à cette situation pénible.*

adjectif féminin : *gaie* – adverbe : *gaiement*.

*Ils devisaient **gaiement** tout en cheminant.*

adjectif : *discrète* – adverbe : *discrètement*.
*Il agit toujours **discrètement** car il n'aime pas vraiment la publicité.*
(Remarquez aussi l'orthographe de l'adverbe : ***vraiment*** qui ne prend jamais d'***-e***.)

<u>Règle de formation de l'adverbe dérivé d'un adjectif</u> :

— La plupart des adverbes sont formés à partir de l'adjectif de la façon suivante :

adjectif féminin + suffixe ***-ment*** *:*

*bonne ; bonne**ment** – secrète ; secrète**ment**.*

*rapide ; rapide**ment** – cruelle ; cruelle**ment**.*

✘ Attention : certains adjectifs terminés par un ***-e*** muet au féminin forment leur adverbe en ***-ément*** (l'***-e*** muet devient ***-é***) :

commun ; communément — confus ; confusément.

obscur ; obscurément — précis ; précisément.

profond ; profondément — aveugle ; aveuglément.

commode ; commodément — énorme ; énormément.

conforme ; conformément, etc.

— Les adjectifs terminés en ***-ent*** et ***-ant*** forment leur adverbes de la façon suivante :

• Les adjectifs en ***-ent*** forment l'adverbe en ***-emment***.

• Les adjectifs en ***-ant*** forment l'adverbe en ***-amment***.

Exemples :

*prud**ent** ; prud**emment** — pati**ent** ; pati**emment**.*

*vaill**ant** ; vaill**amment** — puiss**ant** ; puiss**amment**.*

— Les adjectifs qui ont une terminaison en ***-u*** forment l'adverbe en **-ument** ou en **ûment** :

*absol**u** ; absol**ument** — résol**u** ; résol**ument**.*

*assid**u** ; assid**ûment** — goul**u** ; goul**ûment**.*

— Les adjectifs qui ont une terminaison en ***-i*** forment l'adverbe en ***-iment*** en supprimant la terminaison ***-e*** du féminin :

*jol**i** ; jol**iment** — pol**i** ; pol**iment**.*

☞ Remarque : ***gentil*** donne l'adverbe ***gentiment***.

2.4. Adverbes de temps

Exemples d'adverbes de temps courants

alors
après
aujourd'hui
auparavant
aussitôt
autrefois
avant
bientôt
déjà
demain
depuis
désormais
encore
enfin
ensuite
hier
jamais
longtemps
maintenant
parfois
puis
quelquefois
soudain
souvent
tard
tôt
toujours, etc.

***Aussitôt** dit, **aussitôt** fait !*

*Il se rendit **soudain** compte de son erreur ; il décida d'être plus attentif **désormais**.*

Les adverbes de temps peuvent aussi se présenter sous l'aspect d'une locution adverbiale :

à présent
avant-hier
de nouveau
sur-le-champ
tout à l'heure
aujourd'hui
d'abord
de temps en temps
tout à coup
tout de suite, etc.

*Venez **sur-le-champ** !*

*Pense à venir me voir de **temps en temps**.*

*Il regrettait **à présent** de n'être pas allé les voir plus souvent.*

☞ Remarques sur l'emploi de certains adverbes de temps :

• ***quand*** est un adverbe de temps **interrogatif** :

__Quand__ reviendras-tu ?

Dis-moi __quand__ tu reviendras.

• ***tout à coup*** et ***tout d'un coup*** :

A. La foudre tomba __tout à coup__ sur la maison.

B. Il obtint __tout d'un coup__ la célébrité et l'argent.

A. ***tout à coup*** *= soudain.*
B. ***tout d'un coup*** *= en même temps.*

• ***tout de suite*** et ***de suite*** :

A. Réponds-moi __tout de suite__ !
B. Il était trop fatigué pour avaler deux gorgées __de suite__.

A. ***tout de suite*** (= *immédiatement*) est un adverbe de temps.
B. ***de suite*** (= *d'affilée*) est un adverbe de manière.

• ***ici*** (adverbe de lieu) est parfois employé comme adverbe de temps :

D'ici à demain*, tu auras juste le temps de préparer tes valises.*
(***d'ici à demain*** est un adverbe de temps)

Nous prendrons une décision demain ; __d'ici là__, nous aurons eu le temps de réfléchir.
(***d'ici là*** est un adverbe de temps)

Regarde ! On peut voir la mer __d'ici__.
(***d'ici*** est un adverbe de lieu)

2.5. Adverbes de lieu

Exemples d'adverbes de lieu courants

ailleurs	*dessus*
arrière	*devant*
autour	*ici*
avant	*là*
çà	*loin*
dedans	*où*
dehors	*partout*
derrière	*près*
dessous	*proche, etc.*

Va-t-en ***loin*** *d'ici !*

Avec la panne de chauffage, il fait aussi froid ***dedans*** *que* ***dehors****.*

Elle regardait ***partout autour*** *d'elle.*

☞ Remarque : les adverbes de lieu sont souvent précédés d'une préposition :

Passez ***par ici*** *et non* ***par là****.*

Je le vois arriver ***de loin****.*

✘ Attention : certains adverbes sont parfois employés comme noms ; ils sont alors précédés d'un article :

Le dedans et le dehors.

L'avant et l'arrière.

Les adverbes de lieu peuvent aussi se présenter sous l'aspect d'une locution adverbiale :

au-dedans	*au-dehors*
au-dessus	*au-dessous*
en avant	*en arrière*
quelque part	*nulle part*

à gauche	*à droite*
là-haut	*là-bas, etc.*

*Il regarda **à gauche**, **à droite**, puis il rentra dans la maison rapidement.*

*Regarde dans l'arbre tout **là-haut** ; tu apercevras un nid avec des oisillons.*

L'adverbe de lieu indique :

• l'endroit où l'on est :

*C'est **ici** que j'habite.*

• l'endroit où l'on va :

*C'est **là-bas** que j'irai.*

• l'endroit d'où l'on vient :

*Je viens d'**ici**.*

• l'endroit que l'on traverse :

*Je suis passé par **ici** pour venir.*

☞ Remarques sur l'emploi de certains adverbes de lieu :

• L'emploi de ***dessus***, ***dessous***, ***dedans***, ***dehors*** :

*Regarde **dessous**.*
*Ton stylo est probablement tombé **sous** la table.*
*Le vide **au-dessous de** moi m'attirait.*

*Il fait froid **dehors**.*
***En dehors de** toi, je ne vois pas sur qui je peux compter.*
*Il est **hors** de la maison.*

dessus, ***dessous***, ***dedans***, ***dehors***, lorsqu'ils sont suivis d'un complément, sont remplacés par ***sur***, ***sous***, ***dans***, ***hors***, sauf lorsqu'ils sont précédés d'une préposition.

• L'emploi de l'adverbe de lieu ***en*** :

*A. Prends cette lettre et lis-**en** le contenu.*

*B. J'habite **en** France depuis mon enfance.*

*C. J'**en** viens à l'instant.*

Dans les exemples B et C, ***en*** est adverbe de lieu ; en revanche, dans l'exemple A, il est pronom personnel.

• L'emploi de l'adverbe de lieu ***y*** :

*A. J'**y** suis, j'**y** reste !*

*B. Nul n'est parfait, penses-**y**.*

*C. J'**y** vais de ce pas.*

Dans les exemples A et C, ***y*** est adverbe de lieu ; attention, dans l'exemple B, il est pronom personnel.

• L'emploi de l'adverbe de lieu ***où*** :

*A. **Où** voudrais-tu aller en vacances cet été ?*

*B. Indique-lui l'endroit **où** tu as garé la voiture.*

*C. Je ne sais pas **où** elle se trouve en ce moment.*

Où est bien adverbe de lieu dans les exemples A et C, mais il est pronom relatif dans l'exemple B.

Remarquez que ***où*** adverbe de lieu a un accent grave sur la lettre *-u* alors que ***ou***, conjonction, n'en a pas.

• L'emploi de ***ici*** et ***là*** :

*Viens **ici**.*

*Ne partez pas par **là**.*

Ici indique en général le lieu où l'on est et ***là*** le lieu où l'on va.

• ***Là*** et ***la*** :

*Ici et **là**, de petites fleurs blanches parsemaient **la** pelouse.*

*Regarde-**la** ; elle se repose **là**-bas.*

Là adverbe de lieu est indiqué par un accent grave sur la lettre *-a* ; ***la*** article ou pronom personnel n'en a pas.

2.6. Adverbes de quantité

Exemples d'adverbes de quantité courants

assez	*peu*
aussi	*plus*
autant	*presque*
beaucoup	*si*
combien	*tant*
comme	*tout*
davantage	*tellement*
environ	*très*
fort	*trop, etc.*
moins	

***Assez** parlé, agissons maintenant.*

*Il est **si** fort !*

*Elle est **beaucoup trop** qualifiée pour ce poste.*

Les adverbes de quantité peuvent aussi se présenter sous l'aspect d'une locution adverbiale :

à demi	*à moitié*
à peine	*à peu près*
pas du tout	*tout à fait*

☞ Remarque : la locution ***ne … que***, n'a pas un sens négatif mais **restrictif** ; elle signifie : *seulement*. C'est une locution exprimant la quantité :

*Ils **n'**arriveront **que** demain. (sens restrictif)*

*Pauline **n'**a **que** quatre ans. (sens restrictif)*

Quelques adverbes en ***-ment*** expriment aussi la quantité :

abondamment	*énormément*
extrêmement	*complètement, etc.*

*Le vin coulait **abondamment** dans les verres.*

☞ Remarques sur l'emploi de certains adverbes de quantité :

• Attention à ne pas confondre ***si***, adverbe de quantité, ***si*** , adverbe d'affirmation et ***si***, conjonction :

- ***Si*** adverbe de quantité est employé devant un adjectif ou un adverbe et marque l'intensité :

*Je suis **si** content de te voir !*

*Elle fit **si** bien qu'elle parvint à ses fins.*

*Elle est **si** distraite qu'elle a oublié de prendre ses clés en sortant de chez elle.*

- On utilise ***aussi*** à la place de ***si*** pour indiquer la comparaison :

*Elle est **aussi** distraite que moi.*

- Dans les exemples suivants :

*A. Tu peux venir avec nous **si** tu es prêt à marcher toute la journée.*

*B. Tu n'es pas d'accord avec moi ? Mais **si** !*

Si est conjonction dans l'exemple A et adverbe d'affirmation dans l'exemple B.

• ***Tant***, ***autant*** :

Tant est employé devant un adjectif ou un verbe et marque l'intensité :

*Il a **tant** de peine !*

*Ils ont **tant** travaillé qu'ils ont mis deux jours pour s'en remettre.*

On utilise ***autant*** (comme ***aussi***) pour indiquer la comparaison :

*Il a **autant** de travail que moi.*

*Je suis **autant** (ou **aussi**) fatigué qu'eux.*

• Emploi de ***beaucoup*** :

*Il est **beaucoup** trop tard.*

*Elle est de **beaucoup** la plus intelligente de la classe*

*Cette équipe a remporté la compétition de **beaucoup** sur ses concurrents.*

Beaucoup, lorsqu'il est employé avec un comparatif un superlatif ou un verbe marquant la supériorité, est précédé de la préposition *de*.

• ***Davantage*** et ***plus*** :

Les adverbes ***davantage*** et ***plus*** indiquent tous deux la comparaison, mais ***davantage*** s'emploie seul, alors que ***plus*** est suivi de ***que***:

*Il faut que tu travailles **davantage**.*

*Il est **plus** travailleur **que** toi.*

• Emploi de ***bien*** :

*A. Comme vous chantez **bien** !*

*B. Je suis **bien** content d'apprendre cette bonne nouvelle.*

Attention : dans l'exemple A, ***bien*** est adverbe de manière ; dans l'exemple B, il est adverbe de quantité.

• Emploi de ***fort*** :

*A. Vous m'en voyez **fort** réjoui.*

*B. Le vent a soufflé si **fort** qu'il a déraciné cet arbre*

Dans l'exemple A, ***fort*** est adverbe de quantité ; dans l'exemple B, il est adverbe de manière.

2.7. Adverbes de doute et d'interrogation

Exemples d'adverbes de doute courants

apparemment	*peut-être*
probablement	*sans doute*

Ils sont ***probablement*** *partis depuis longtemps.*

Elle nous téléphonera ***sans doute*** *ce soir.*

Exemples d'adverbes d'interrogation courants

combien … ?	(quantité)
comment … ?	(manière)
est-ce que … ?	
où … ?	(lieu)
pourquoi … ?	(cause)
que … ?	
quand … ?	(temps)

Comment *êtes-vous arrivés jusqu'ici ?*

Pourquoi *me regardez-vous de cette manière ?*

☞ Remarque : dans les phrases :

Est-ce *que tu aimes jouer au tennis ?*

Je me demande ***si*** *tu aimes jouer au tennis.*

est-ce que marque l'interrogation directe et ***si*** marque une interrogation indirecte.

3. Degrés de qualification de l'adverbe

Plusieurs adverbes possèdent, comme les adjectifs qualificatifs, trois degrés de qualification :

✓ Le positif

Il s'agit de l'adverbe lui-même :

*Il agit toujours **courageusement**.*

*Il habite **loin** de la ville.*

✓ Le comparatif

Il est indiqué en ajoutant ***plus***, ***moins***, ***aussi*** devant l'adverbe :

- Comparatif de supériorité

*Il a agi **plus** courageusement **que** vous.*

*Il habite **plus** loin de la ville **que** moi.*

- Comparatif d'infériorité

*Il a agi **moins** courageusement **que** vous.*

*Il habite **moins** loin de la ville **que** moi.*

- Comparatif d'égalité

*Il a agi **aussi** courageusement **que** vous.*

*Il habite **aussi** loin de la ville **que** moi.*

✓ Le superlatif (***le plus / le moins*** + adj. ou adv.)

C'est lui qui a agi le plus courageusement.

C'est lui qui a agi le moins courageusement.

Il a agi très courageusement.

☞ Remarques :

- Le comparatif de ***bien*** est ***mieux***.
- Le comparatif de ***mal*** est ***pis*** ou ***plus mal***.

N.B. — Pour les adverbes de quantité à sens comparatif, voir § 2.6. Adverbes de quantité, p. 224.

4. Place de l'adverbe

L'adverbe se place en général à côté du mot qu'il modifie.

✓ Employé avec un verbe, si ce dernier est conjugué à un temps simple, l'adverbe est placé après :

*Elle joue **bien** du piano.*

• Si ce verbe est conjugué à un temps composé, l'adverbe est en général placé entre l'auxiliaire et le participe :

*Depuis son enfance, elle a **toujours** joué du piano.*

*Ils se sont **vaillamment** défendus.*

Toutefois, dans certains cas, l'adverbe peut être placé
— après le verbe :

*Ils se sont défendus **vaillamment**.*

— en tête de phrase lorsqu'il est mis en relief :

Enfin vous voilà !

✓ Employé avec un adjectif, un adverbe ou un participe, l'adverbe est le plus souvent placé devant le mot qu'il modifie :

*Il est **souvent** content.*

*Vous voilà **déjà** arrivés.*

*Il nous a accueillis **fort** aimablement.*

5. Fonction de l'adverbe

Dans la proposition, l'adverbe peut occuper une fonction :

- d'attribut :

  *C'est **assez** pour aujourd'hui !*

- de complément du nom :

  *La réunion de **demain** sera probablement houleuse.*

- de complément d'un adjectif :

  *Satisfait du **peu** qu'il avait obtenu, il ne demanda pas d'autre compensation.*

- de complément de manière :

  *Cette pianiste a joué **brillamment** ce soir.*

CHAPITRE 7

LE PRONOM

1. Définition et caractéristiques du pronom

1.1. Définition et utilisation du pronom

Le pronom est un mot qui remplace, en général, un nom ou un groupe nominal, mais aussi un adjectif et une proposition.

Mes amis sont arrivés. ***Ils*** *paraissent contents.*

Paul est de retour. ***Je*** *suis surpris de* ***le*** *revoir.*

La maison ***que*** *j'habite est située à l'entrée de la ville.*

✓ Le pronom relatif remplace un nom ou un groupe nominal déjà exprimé, qui s'appelle dans ce cas un antécédent :

La jeune fille ***qui*** *est arrivée ce matin se repose dans sa chambre.*

(le pronom *qui* représente l'antécédent *jeune fille*.)

✘ Attention : pour qu'un pronom puisse remplacer un nom, il faut que ce nom soit déterminé, c'est-à-dire précédé d'un déterminant (voir CHAPITRE 5 – LE DÉTERMINANT, p. 187).

*Tu connais **la personne** en charge de ce dossier ; va **lui** dire de venir me voir, s'il-te-plaît.*
(*lui* remplace le nom *personne*, déterminé par l'article *la*.)

*Regarde **le chaton** jouer. Aide-**le** à retrouver sa balle.*
(*le* remplace le nom *chaton*, déterminé par l'article défini *le*.)

✓ Les pronoms s'emploient aussi à la place du nom ou du groupe nominal pour désigner directement les sujets dont on parle, en indiquant leur personne grammaticale :

***Elles** regardent la télévision pendant qu'**il** écoute de la musique.*

✓ Lorsqu'on emploie un pronom, il faut que l'identification du ou des mots qu'il représente soit claire et sans équivoque.

Ainsi, il ne serait pas correct de dire :

*Jacques croyait fermement que son frère avait toujours raison, même s'**il** avait parfois de courts moments de doute.*

En effet, dans cette phrase, on ne sait pas si le pronom *il* représente *Jacques* ou son *frère*.

Il faudrait dire ici :

Jacques croyait fermement que son frère avait toujours raison, même si ce dernier avait parfois de courts moments de doute.

En revanche, dans la phrase ci-après, on peut utiliser le pronom *elle* car son genre féminin permet d'identifier le nom qu'il représente, *sœur*, *Jacques* étant de genre masculin.

*Jacques croyait fermement que sa **sœur** avait toujours raison, même si **elle** avait parfois de courts moments de doute.*

1.2. Catégories de pronoms

Il existe **six catégories** de pronoms :

• Les pronom personnels : *je, tu, il …*

__Je__ travaille et __il__ s'amuse.

• Les pronoms possessifs : *le mien, le tien, les nôtres …*

Prête-moi ton stylo, __le mien__ ne marche plus.

• Les pronoms démonstratifs : *celui, ceci, cela …*

Quel CD Rom achèterais-tu ? __celui-ci__ ou __celui-là__ ?

• Les pronoms relatifs : *qui, que, quoi …*

Le jeune homme __qui__ s'approche est l'un des mes amis.

• les pronoms indéfinis : *on, plusieurs …*

__On__ m'a dit que tu avais des problèmes.

• les pronoms interrogatifs : *qui…?, quoi … ?, etc.*

__Que__ voulez-vous me dire ?

1.3. Genre et nombre du pronom

Le pronom s'accorde en genre et en nombre avec le nom qu'il remplace :

• Il peut être **masculin**, **féminin** ou **neutre** :

— il est masculin quand il remplace un sujet masculin.

Marc sort de la maison ; je __lui__ ouvre la porte.

— Il est féminin quand il remplace un sujet féminin.

Catherine monte dans sa voiture ; __elle__ ferme la portière.

— il est neutre lorsqu'il remplace une proposition ou une idée non clairement définies.

Qu'avez-vous décidé ?

Vous m'en voulez beaucoup, je ***le*** *sens bien.*

Ces fruits sont-ils comestibles ? – Je ne suis pa sûre qu'ils ***le*** *soient.*

• Il se met au **singulier** ou au **pluriel** en fonction du o des noms qu'il représente.

*Voici mes amis de lycée. Te souviens-tu d'****eux*** *?*
(*eux* est masculin pluriel car il représente le nor masculin pluriel *amis*.)

Regardez cette assemblée : ***ils*** *sont venus ce soi pour te souhaiter bonne chance.*
Dans cet exemple, le pronom *ils* représente le nor collectif *assemblée*, ce qui explique le pluriel.

Lorsque le pronom représente plusieurs noms, il pren le genre de ces noms lorsqu'ils sont de même genre e se met au pluriel.

Jacques *et* ***Paul*** *sont assis à la terrasse d'un café.* ***Il*** *parlent du match de football de la veille.*
Ils, pronom masculin pluriel, remplace deux nom masculins, *Jacques* et *Paul*.

Si les noms représentés par le pronom sont de genre dif férent, le pronom prend le genre masculin :

Pauline et son ami rentrèrent dans un café. ***Ils*** *com mandèrent chacun un café crème.*

Mes ***sœurs*** *et mon* ***frère*** *se réunirent un soir.* ***Ils*** *déc dèrent d'un commun accord ce qu'il convenait de fair*

2. Pronoms personnels

2.1. Rôle du pronom personnel

Le pronom personnel s'emploie à la place du nom. Son rôle est de remplacer un nom déjà exprimé pour éviter une répétition et de préciser la personne grammaticale.

*L'inondation des maisons affola les habitants de la ville et **ils** durent **les** abandonner temporairement.*

Dans l'exemple ci-dessus, les pronoms personnels *ils* et *les* remplacent les noms *habitants* et *maisons*, dont ils évitent la répétition.

☞ Rappel : nous avons vu (voir CHAPITRE 2 – LE VERBE, § 4.2. page 38) qu'il existe trois personnes grammaticales. Les personnes grammaticales précisent que l'action exprimée par le verbe peut être faite par :

- le locuteur: c'est la personne qui parle (1re personne du singulier ou du pluriel).
  ***Je** parle. **Nous** parlons.*
- l'interlocuteur: c'est la personne à qui l'on parle (2e personne du singulier ou du pluriel) :
  ***Tu** parles. **Vous** parlez.*
- l'être ou la chose dont on parle (3e personne du singulier ou du pluriel) :
  ***Il** parle. **Ils** parlent.*

Le pronom personnel est ***réfléchi*** lorsqu'il sert à former des verbes pronominaux :

*Je **me** moque de lui. Ils **se** disputent souvent.*

✘ Rappel : un verbe pronominal est dit **réfléchi** lorsque le sujet fait l'action qui, dans le même temps, renvoie sur ce même sujet.

Dans les phrases :

je me coiffe. – Je me blesse. – Elles se regardent.
l'action revient sur le sujet qui subit sa propre action. Dans ce cas, le pronom personnel réfléchi peut être complément d'objet direct ou indirect.

A l'inverse, dans les phrases :
J*e m'enfuis. Je m'endors.*
le pronom *se* représente le sujet, mais ce dernier ne subit pas l'action qu'il a faite ; le verbe est alors **intransitif**.

2.2. Formes du pronom personnel

Les formes du pronom personnel varient en fonction de la personne grammaticale, du nombre et de la fonction qu'il occupe.
Les pronoms personnels, en fonction de leur nature et de l'importance qu'ils ont dans la proposition, prennent des formes **atones** ou **accentuées**.

•Les formes **atones**, c'est-à-dire peu mises en relief, sont placées directement avant ou après le verbe, dont elles ne peuvent être éventuellement séparées que par un autre pronom ou par la négation *ne*.

***Je** parle. Il **m'**écoute, mais **il** ne répond pas.*

• Les formes **accentuées**, dites aussi **toniques**, qui sont davantage mises en relief dans la proposition (voir aussi p.238-239 pour l'emploi des formes accentuées), pour marquer une mise en évidence, une insistance, une opposition ou une coordination par rapport à un autre terme:

*C'est bien **moi** le responsable, pas **lui** !*

Le TABLEAU DES FORMES DU PRONOM PERSONNEL (p.237) est un récapitulatif des différentes formes possibles du pronom personnel.

TABLEAU DES FORMES DU PRONOM PERSONNEL

FORMES ATONES DU PRONOM PERSONNEL

Singulier	1re pers.	2e pers.	3e pers.
sujet	*je*	*tu*	*il, elle, on*
complément d'objet direct	*me*	*te*	*le, la, les*
complément d'objet indirect	*me*	*te*	*lui, en, y*
complément circonstantiel de lieu			*y, en*

Pluriel	1re pers.	2e pers.	3e pers.
sujet	*nous*	*vous*	*ils, elles*
complément d'objet direct	*nous*	*vous*	*les*
complément d'objet indirect	*nous*	*vous*	*y, en, leur*
complément circonstantiel de lieu			*y, en*

FORMES ACCENTUÉES DU PRONOM PERSONNEL

	1re pers.	2e pers.	3e pers.
Singulier	*moi*	*toi*	*lui, elle*
Pluriel	*nous*	*vous*	*eux, elles*

PRONOM PERSONNEL RÉFLÉCHI

	1re pers.	2e pers.	3e pers.
Singulier	compl.* : *me*	compl. : *te*	compl. : *lui*
	réf.* : *me*	réf. : *te*	réf. : *se*
Pluriel	compl. : *nous*	compl. : *vous*	compl. : *leur*
	réf. : *nous*	réf. : *vous*	réf. : *se*

* compl. : complément — réf. : réfléchi.

2.3. Fonctions et emploi du pronom personnel

a) Formes et fonctions du pronom personnel

Les formes du pronom personnel sont liées, non seulement à la ou les personne(s) grammaticale(s), mais aussi à la fonction occupée par le pronom dans la phrase. Prenons quelques exemples :

- ***J'****écoute* ***Catherine*** *chanter.* ***Je l'****écoute avec admiration.*

J' et *je* : pronoms personnels sujet.
Catherine : nom complément d'objet direct.
l' : pronom personnel complément d'objet direct.

- ***Il lui*** *adressa la parole avec déférence.*

Il : pronom personnel sujet.
lui : pronom personnel complément d'objet indirect.

- ***Nous y*** *réfléchirons à tête reposée ce soir.*

Nous : pronom personnel sujet.
y : pronom personnel complément d'objet indirect.

- *Rends-****moi*** *mon livre tout de suite,* ***tu*** *es un voleur !*

moi : pronom personnel complément d'attribution.
tu : pronom personnel sujet.

CAS PARTICULIERS :

b) Emploi des formes accentuées

✓ Les **formes accentuées** du pronom personnel, ***moi***, ***toi***, ***soi***, sont utilisées après une préposition ou pour mettre l'accent sur la personne dont on parle :

Toi, tu crois qu'il a raison ; ***moi****, je pense qu'il se trompe.* ***Eux****, ils ne se posent même pas la question.*

Pense à ***moi*** *!*

Vous marcherez toujours derrière ***lui*** *pour être certains de ne pas vous égarer.*

✓ Pour insister davantage sur la forme accentuée, on ajoute parfois ***-même(s)*** :

Je viendrai vous aider ***moi-même****.*

Vous-même(s) *ne croyez pas à ce que vous dites.*

✓ Les formes accentuées peuvent remplacer :

— un pronom sujet :

Qui est le ***dernier arrivé*** *? –* ***Moi****.*
*(****je*** *suis le dernier arrivé)*

— un pronom complément (*me, te*) :

Pense d'abord à ***toi*** *et oublie-****moi****.*

— un pronom sujet de verbes à l'infinitif (*me, te)* :

*Laisse-****moi*** *t'aider, s'il-te-plaît.*

— Les formes accentuées peuvent aussi avoir une fonction d'attribut :

Ton meilleur ami, c'est ***moi****.*

c) Emploi de *vous* et de *nous*

✓ Dans le pluriel de politesse, ***vous***, forme de la 2e personne du pluriel, peut remplacer les formes ***tu***, ***te***, ***toi*** de la 2e personne du singulier :

Bonjour, Madame. Entrez, je ***vous*** *en prie, et asseyez-****vous****. Désirez-****vous*** *un café ?*

Vous peut aussi désigner des groupes de personnes dont le locuteur ne fait pas partie :

Vous *voulez donc vraiment partir,* ***vous*** *avez bien réfléchi ?*
Vous, suivant le sens, peut désigner ici des groupes différents : *toi* et *lui* (deux personnes) ou *toi* et *eux* (plusieurs personnes) par exemple.

✓ ***Nous*** peut désigner des groupes de personnes dont le

locuteur fait toujours partie :

*Nous avons décidé de partir et **nous** ne changerons pas d'avis.*

Nous peut désigner ici des groupes différents : *moi* et *lui* (deux personnes) ou *moi* et *eux* (plusieurs personnes) par exemple.

✓ ***Vous*** et ***nous*** peuvent s'employer :

— comme sujet :

***Vous** lui parlez souvent d'elle.*

***Nous** jouons souvent au tennis ensemble.*

— comme complément d'objet :

*Il viendra **vous** voir demain.*
(complément d'objet direct)

*Elle pense souvent à **vous**.*
(complément d'objet indirect)

— comme complément circonstantiel ou d'attribution :

*Si elle a agi ainsi, c'est pour **vous**.*

*S'il-vous-plaît, donnez-**nous** la solution de ce problème.*

— comme sujet d'un verbe à l'infinitif :

*Nous sommes très fatigués ; laissez-**nous** vous attendre ici.*

d) Emploi des formes *lui, eux, elle, elles*

✓ Employées comme sujet, les formes ***lui***, ***eux*** remplacent les formes atones, ***il***, ***ils*** ; ***elle***, ***elles*** sont des formes à la fois atones et accentuées :

***Lui**, en me regardant, se mit à rire aux éclats devant ma mine déconfite et **il** persuada mon père de me laisser sortir.*

Dans l'exemple précédent, *lui* est une forme accentuée et *il* une forme atone.

***Elle**, en nous voyant arriver, fut si heureuse qu'**elle** en avait les larmes aux yeux.*

Dans cet exemple, le premier *elle* est une forme accentuée, le deuxième *elle* est une forme atone.

✓ Placées après un verbe, les formes ***lui***, ***eux***, ***elle***, ***elles***, sont souvent complément d'attribution :

*Donne-**lui** ton avis, il en tiendra compte.*

*J'irai avec **eux** ou avec **elles**.*

e) On

On, toujours sujet, s'emploie au singulier et peut avoir plusieurs sens :

• évoque de façon vague un groupe ou une personne (*quelqu'un, les gens*) :

***On** sonne à la porte, va ouvrir. (on = quelqu'un)*
***On** lit moins de nos jours. (on = les gens)*

• correspond à un pronom personnel comme, *je, tu, vous, nous* :

***On** est si content pour eux !*
*Ma sœur et moi, **on** est invités.*

Dans ce dernier exemple, remarquez que l'attribut s'accorde en genre et en nombre avec la ou les personnes correspondant à *on*.

f) Règles d'élision du pronom personnel

Les pronoms personnels ***je***, ***la***, ***le***, ***me***, ***te***, ***se*** s'élident (c'est-à-dire perdent leur voyelle) devant les mots ***en***, ***y*** et devant une voyelle ou une ***h*** muette :

***J'y** pense souvent.*

*Voici mon réveil ; je **l'e**mporte toujours avec moi en voyage.*

*Te rappelles-tu ce que tu **m'a**s dit hier ?*

*Ne **t'é**nerve pas comme ça et écoute-**nous** un peu !*

Elle s'éveilla en pensant aux événements de la veille.

g) Les pronoms personnels de genre neutre

• Les pronoms personnels ***le***, ***il***, ***y***, ***en*** peuvent être de genre neutre (voir § 1.3. page 233 de ce chapitre) :

*J'ai du mal à **y** croire.*

*Tu t'**en** souviens encore bien, je **le** crois.*

***Il** a beaucoup neigé cet hiver.*

*Il ne dit mot, mais il n'**en** pense pas moins.*

✘ Attention : les pronoms ***en*** et ***y*** sont à l'origine des adverbes de lieu : ils indiquent l'endroit où l'on est, où l'on va, d'où l'on vient ou que l'on traverse (voir CHAPITRE 5 – L'ADVERBE, § 2.5. page 221 à 223, l'adverbe de lieu) ;

En et ***y*** deviennent des pronoms personnels lorsqu'ils servent à exprimer une idée, un nom ou une proposition :

*A. J'ai beau **y** penser, je vois pas d'autre solution.*

*B. Tu **y** vas vraiment aujourd'hui ?*

*C. Es-tu allé chercher le pain ? – Oui, j'**en** viens.*

*D. Mes paroles ont dépassé ma pensée, j'**en** conviens.*

Dans les exemples B et C, *y* et *en* sont adverbes de lieu. Ils sont pronoms personnels dans les exemples A et D.

h) L'emploi de soi

Soi remplace *lui* ou *elle* dans les cas suivants :

— après un verbe impersonnel ou infinitif :

Il est important** de prendre soin de **soi.

***Il faut** aussi penser à **soi** dans la vie.*

***Penser** à **soi** est important.*

— après un pronom indéfini (*on*, *personne*, etc.) :

***Personne** ne doit penser à **soi** dans des situations pareilles.*

2.4. Place du pronom personnel

✓ Le pronom personnel, lorsqu'il est complément d'objet direct, se place avant le verbe :

*J'ai vu cet **homme** entrer dans la maison.*

*Je **l'**ai vu entrer.*

Dans ces deux exemples, le nom *homme* et le pronom *l'* sont compléments d'objet direct.

✓ Lorsque le pronom personnel est précédé d'une préposition, il occupe la même place que le groupe nominal :

*Catherine est venue nous rendre visite avec **son meilleur ami**.*
*Catherine est venue nous rendre visite avec **lui**.*

*Catherine est venue avec **son meilleur ami** nous rendre visite.*
*Catherine est venue avec **lui** nous rendre visite.*

*Avec **son meilleur ami**, Catherine est venue nous rendre visite ce matin.*
*Avec **lui**, Catherine est venue nous rendre visite ce matin.*

✓ Place du pronom personnel employé avec un verbe à l'impératif :

• À la forme affirmative, le pronom personnel est placé après le verbe :

***Écoute-le**, il cherche à te dire quelque chose.*

*Cueille cette orange et **mange-la**.*

*Regarde ce jouet ; **donne-le-lui** !*

Pensez-y !

• A la forme négative, le pronom personnel est placé avant le verbe :

*Ne **l'écoute** pas.*

*Ne cueille pas cette orange et ne **la mange** pas.*

*Regarde ce jouet ; ne **le lui donne** pas !*

*N'**y pense** pas.*

✓ Lorsque le verbe est complété par deux pronoms compléments, ils sont placés avant le verbe mais différemment suivant qu'il s'agit de pronoms de la 1re, 2e ou 3e personne :

• avec un pronom à la 1re ou 2e personne et un pronom à la 3e personne, l'ordre est le suivant :

autre pronom— pronom complément d'objet direct

*Pierre **me l'**a donné.*
(*l'* est le pronom complément d'objet direct.)

*Je **te l'**avais bien dit !*
(*l'* est le pronom complément d'objet direct.)

*Vous **me l'**avez prêté.*
(*l'* est le pronom complément d'objet direct.)

• Avec deux pronoms de la 3e personne, l'ordre est le suivant :

pronom complément d'objet direct — autre pronom

*Je **le lui** avais conseillé.*
(*le* est le pronom complément d'objet direct.)

*Je **la lui** ai offerte.*
(*la* est le pronom complément d'objet direct.)

*Vous **le leur** avez prêté.*
(*le* est le pronom complément d'objet direct.)

✘ Attention : les pronoms ***en*** et ***y*** se placent après les autres pronoms compléments :

*Je **lui en** offre.*

*Offrez-**lui-en** !*

3. Pronoms possessifs

3.1. Rôle du pronom possessif

Le pronom possessif remplace un nom déjà exprimé et indique la possession, c'est-à-dire à qui appartient l'être ou la chose désignés :

*Regarde cet ordinateur ; c'est **le mien**.*
Le pronom possessif *le mien* remplace le nom ordinateur déjà exprimé et précise que *l'ordinateur* est ma propriété.

*Nous possédons chacun une maison, mais **la mienne** est plus grande que **la tienne**.*

3.2. Formes du pronom possessif

Les formes du pronom possessif indiquent :

• la personne grammaticale (1re, 2e ou 3e personne) du possesseur, qui indique s'il y a un ou plusieurs possesseurs ;

• le genre (masculin ou féminin) de l'être ou la chose possédés ;

• le nombre (singulier ou pluriel) de l'être ou la chose possédés, c'est-à-dire s'il y a une ou plusieurs choses possédées.

Le tableau page suivante :
TABLEAU DES FORMES DU PRONOM POSSESSIF, présente un récapitulatif des différentes formes possibles du pronom possessif.

TABLEAU DES FORMES DU PRONOM POSSESSIF

POSSESSEUR	CE QUI EST POSSÉDÉ	
SINGULIER (un seul possesseur)	**SINGULIER** (un seul objet possédé)	
	masculin	féminin
1re personne	*le mien*	*la mienne*
2e personne	*le tien*	*la tienne*
3e personne	*le sien*	*la sienne*
PLURIEL (plusieurs possesseurs)		
1re personne	*le nôtre*	*la nôtre*
2e personne	*le vôtre*	*la vôtre*
3e personne	*le leur*	*la leur*
SINGULIER (un seul possesseur)	**PLURIEL** (plusieurs objets possédés)	
	masculin	féminin
1re personne	*les miens*	*les miennes*
2e personne	*les tiens*	*les tiennes*
3e personne	*les siens*	*les siennes*
PLURIEL (plusieurs possesseurs)		
1re personne	*les nôtres*	*les nôtres*
2e personne	*les vôtres*	*les vôtres*
3e personne	*les leurs*	*les leurs*

3.3. Accord et emploi du pronom possessif

✓ Le genre et le nombre du pronom possessif sont variables ; ils sont liés au genre et au nombre de l'être ou de la chose possédés, ainsi qu'au nombre du possesseur.

Regarde mes nouveaux livres, ils sont différents ***des tiens***.
Le pronom possessif est masculin pluriel car il représente le nom *livres*, qui est lui-même masculin pluriel. Il n'y a ici qu'un possesseur.

Nous avons oublié nos stylos ; prêtez-nous ***les vôtres***.

Le pronom possessif est masculin pluriel ; il représente le nom *stylos*, qui est lui-même masculin pluriel. Il y a plusieurs possesseurs.

La voiture qui est garée devant la maison est ***la mienne***.

Le pronom possessif est féminin singulier ; il représente le nom *voiture*, qui est lui-même féminin singulier. Il y a un possesseur.

✓ Le pronom possessif est parfois employé sans antécédent :

• au pluriel, comme nom masculin, pour désigner des parents, des amis, des proches :

Moi et ***les miens*** *avons déménagé le mois dernier.*

Il part rejoindre tous ***les siens****, qui ont déjà quitté la ville.*

• Dans des locutions :

Mets-y un peu ***du tien****, et nous y arriverons.*
(locution : *mettre du sien*.)

Tel que je te connais, tu as encore fait ***des tiennes*** *!*
(locution : *faire des siennes*.)

✘ Attention :

• Il faut bien différencier les adjectifs possessifs ***notre*** et ***votre*** des pronoms possessifs ***le nôtre*** et ***le vôtre***. Notez que les pronoms possessifs ont un accent circonflexe sur le ***-ô*** et sont précédés d'un article.

> ***Notre*** *voiture est tombée en panne. Pouvons-nous emprunter* ***la vôtre*** *pour le week-end ?*
> *Notre* est un adjectif possessif ; *la vôtre* est un pronom possessif.

• De même, l'adjectif possessif ***leur*** est différent du pronom possessif ***le leur*** :

> *Elles sont venues avec* ***leur*** *chien, mes amis ont fait de même ; j'espère qu'il ne se battra pas avec* ***le leur*** *!*
> *Leur* est un adjectif possessif ; *le leur* est un pronom possessif.

4. Pronoms démonstratifs

4.1. Rôle du pronom démonstratif

Les pronoms démonstratifs désignent, en les remplaçant, les êtres ou les personnes qu'ils représentent.

Regarde ces robes, elles sont très jolies ; je vais essayer ***celle-ci*** *… et puis aussi* ***celle-là*** *!*
Dans cette phrase, les pronoms démonstratifs **celle-ci** et **celle-là** remplacent le nom *robes* tout en montrant les robes dont il s'agit.

4.2. Formes du pronom démonstratif

Il existe deux formes de pronoms démonstratifs :

• **LES PRONOMS DÉMONSTRATIFS SIMPLES**

	singulier	pluriel
masculin	*celui / ce*	*ceux*
féminin	*celle*	*celles*
neutre	*ce*	

• **LES PRONOMS DÉMONSTRATIFS COMPOSÉS**

	singulier	pluriel
masculin	*celui-ci*	*ceux-ci*
	celui-là	*ceux-là*
féminin	*celle-ci*	*celles-ci*
	celle-là	*celles-là*
neutre	*ceci / cela*	

4.3. Emploi du pronom démonstratif

✓ Le pronom démonstratif est souvent suivi d'un complément qui sert à le compléter.

Regarde la mobylette, c'est ***celle*** *de ton frère.*

Le pronom est ici complété par un groupe nominal complément de nom.

De tous ces tableaux, je préfère ***celui*** *que nous avons vu au début de l'exposition.*

Le pronom est complété par une proposition relative.

✓ Les formes neutres ***ce***, ***ceci***, ***cela***, représentent un nom ou une idée déjà évoquée :

Tu devrais nous dire ***ce*** *qui te préoccupe autant.*

La soirée a débuté un peu tard ; néanmoins, ***ç'****a été une grande réussite.*

Tu sembles très fatigué. ***Cela*** *me préoccupe.*

Ce peut aussi représenter une phrase entière :

Nous aurons trois heures de retard sur l'horaire prévu ; ***c'****est très contrariant.*

✓ Emploi de ***celui-ci*** et ***celui-là***, ***ceci*** et ***cela***.

Celui-ci ou *ceci* désigne l'être ou la chose proches dans le temps ou dans l'espace ; *celui-là* ou *cela* montre l'être ou la chose les plus éloignés.

De ces deux vases, ***celui-ci*** *est le plus beau, mais je préfère la couleur de* ***celui-là****, qui est fond du magasin.*

✓ Dans le langage parlé ou familier, le pronom démonstratif ***cela*** devient souvent ***ça*** :

Tu as entendu ***ça*** *?*

Regarde ***ça*** *!*

✓ Le pronom démonstratif ***ce*** se transforme en :

- ***c'*** devant un ***-e*** :

C'*est toujours un plaisir de te voir.*

• ***ç'*** devant un ***-a*** :

Ç'a été une grande joie lorsque nous avons appris la nouvelle.

✘ Attention :

• Il ne faut confondre ***ce***, pronom démonstratif, avec ***ce***, adjectif démonstratif :

Ce *que j'apprécie dans* ***ce*** *café,* ***c'****est son arôme.*
1 2 3
1. pronom démonstratif ; 2. adjectif démonstratif ; 3. pronom démonstratif.

J'adore (1) ***ce*** *baba au rhum ; goûte-le, (2)* ***c'****est mon gâteau préféré !*
1. adjectif démonstratif ; 2. pronom démonstratif.

• Comment différencier le pronom démonstratif de l'adjectif démonstratif ?
Le pronom démonstratif *ce* est placé devant un verbe ou un pronom relatif ; il signifie *ceci*, *cela*. L'adjectif démonstratif *ce* est placé devant un nom masculin commençant par une consonne ou une *h* aspirée.

5. Pronoms relatifs

5.1. Rôle du pronom relatif

Le pronom relatif met en relation un nom ou un pronom, placé avant lui et qu'il représente, avec une proposition appelée proposition relative.

Elle aperçut enfin son ***ami qui*** *s'avançait vers elle en souriant.*
Le pronom relatif *qui* joint le nom *ami* à la proposition relative.

Le nom placé avant le pronom relatif est appelé antécédent (du latin *ante*, *avant*).

C'est bien ***vous que*** *j'ai vu.*
Dans cet exemple, le pronom relatif *que* joint un pronom (*vous*) à une proposition relative.

5.2. Formes du pronom relatif

Il existe deux formes de pronoms relatifs :

• **LES PRONOMS RELATIFS SIMPLES**

	singulier et pluriel
masculin et féminin	*qui, que, dont, où*
neutre	*quoi*

Qui, que, dont, appartiennent aux trois genres, aux deux nombres et aux trois personnes :

Regarde la ***jeune fille qui*** *te sourit.*
(3e personne du féminin singulier)

Regarde le ***garçon qui*** *te sourit.*
(3e personne du masculin singulier)

Les ***amis que*** *j'ai tant attendus sont enfin arrivés.*
(3ème personne, masculin pluriel)

Les acteurs ***dont*** *on parle tant en ce moment sont arrivés.* (3e personne du masculin pluriel)

Quoi est neutre et s'emploie à la 3e personne :

Dis-moi ce à ***quoi*** *tu penses.*
(*quoi* est neutre)

• **LES PRONOMS RELATIFS COMPOSÉS**

	singulier	pluriel
masculin	*lequel*	*lesquels*
	duquel	*desquels*
	auquel	*auxquels*
féminin	*laquelle*	*lesquelles*
	de laquelle	*desquelles*
	à laquelle	*auxquelles*

5.3. Accord du pronom relatif

✓ Le pronom relatif s'accorde :

• en genre (masculin, féminin),

• en nombre (singulier, pluriel),

• et en personne (1re, 2e, 3e personne)

avec son antécédent, c'est-à-dire avec le nom ou le pronom qu'il représente :

A. J'ai posé la question à ***l'enfant,*** ***lequel*** *m'a répondu n'avoir vu personne.*

B. J'ai posé la question ***aux enfants,*** ***lesquels*** *m'ont répondu n'avoir vu personne.*

C. J'ai posé la question à ***Pascal*** *et à* ***Muriel,*** ***lesquels*** *m'ont répondu n'avoir vu personne.*

Le pronom relatif représente un nom pluriel dans l'exemple B et deux noms dans l'exemple C : il se met donc au pluriel.

5.4. Emploi du pronom relatif

✓ *Qui*

• *Qui* est souvent employé comme sujet :

La montre ***qui*** *est tombée en panne est la mienne.*

• Précédé d'une préposition, *qui* est complément :

La jeune fille ***à qui*** *tu as parlé est ma sœur.*
La jeune fille ***pour qui*** *tu es venu est ma sœur.*

• *Qui* est parfois employé sans antécédent :

Qui *dort dîne.*

✓ *Que*

• Le plus souvent, *que* est complément d'objet direct et représente des personnes ou des choses :

Le stylo ***que*** *tu as trouvé est le mien.*

L'homme ***que*** *tu as vu est mon mari.*

• On le trouve parfois employé comme sujet :

Advienne ***que*** *pourra !* (*que* est sujet)

Tu dois réussir coûte ***que*** *coûte !*

✓ *Quoi*

• Le pronom relatif *quoi*, toujours précédé d'une préposition, est toujours neutre et ne s'emploie que pour des choses. Il représente un antécédent également neutre ou une proposition :

Le bricolage est ce <u>*à*</u> ***quoi*** *il consacre tous ses loisirs.*

Tu as deviné ce <u>*à*</u> ***quoi*** *je pensais.*

• *Quoi* (comme *qui* et *que*) se rencontre encore dans quelques expressions comme sujet :

Nous avons encore largement de ***quoi*** *vivre.*

Vous savez maintenant de ***quoi*** *nous avons parlé.*

✓ ***Dont***

Dont s'applique à des êtres ou à des choses ; il est l'équivalent de : *de qui, duquel (desquels)* , *de laquelle (desquelles), de quoi*.

Dont est toujours complément indirect :

La société ***dont*** *je suis le gérant.*

Les livres ***dont*** *nous sommes les auteurs.*

Voilà ce ***dont*** *nous avons discuté hier soir.*

☞ Remarque : pour indiquer une idée de provenance, d'origine, *dont* remplace *où* lorsqu'il s'agit de personnes :

*La région d'****où*** *je viens.*

Les ancêtres ***dont*** *nous descendons.*

✓ L'emploi des pronoms composés : ***lequel (lesquels)***, ***laquelle (lesquelles)***, etc.

Les pronoms composés, à la différence des pronoms relatifs simples, possèdent des formes différentes qui permettent d'indiquer de manière précise le genre et le nombre du ou des antécédents qu'ils représentent :

J'ai déjeuné avec la sœur de mon ami aujourd'hui, ***laquelle*** *m'a félicité de ma bonne mine.*

Nous avons rencontré sur notre chemin des cyclistes, ***lesquels*** *nous ont indiqué la direction à suivre.*

• Ils peuvent avoir une fonction de sujet :

Je suis allé voir un juriste, ***lequel*** *m'a indiqué la procédure à suivre.*

• Ils sont aussi compléments indirects (de nom, d'objet, circonstantiel) ; cette fonction est indiquée par une préposition placée avant le pronom.

Les idées pour ***lesquelles*** *je me suis battu.*

✘ Attention : il ne faut pas confondre ***où***, pronom relatif, avec ***où***, adverbe de lieu :

A. Je ne me rappelle pas l'endroit ***où*** *j'ai posé mes lunettes.*

B. ***Où*** *l'as-tu rencontré pour la première fois ?*

A. *où* est pronom relatif (antécédent : *endroit*).
Le pronom relatif *où* a toujours un antécédent et peut être remplacé par : *dans lequel (laquelle), vers lequel (laquelle)*, etc.

B. *où* est adverbe de lieu.

6. Pronoms indéfinis

6.1. Rôle du pronom indéfini

Les pronoms indéfinis désignent les êtres ou les choses de manière vague, indéfinie. Ces pronoms peuvent désigner **un seul**, **plusieurs** êtres ou choses ou un **groupe** d'êtres ou de choses.

Quelqu'un vous appelé aujourd'hui.

On m'a dit que vous étiez rentré.

6.2. Formes du pronom indéfini

Les principaux pronoms indéfinis peuvent être classés de différentes manières.

✓ On peut les classer en distinguant alors les pronoms indéfinis **variables** des pronoms indéfinis **invariables** :

LES PRONOMS INDÉFINIS INVARIABLES

masculin et singulier

autrui / on / personne / quiconque

masculin et féminin pluriel

plusieurs

neutre singulier

quelque chose / rien

LES PRONOMS INDÉFINIS VARIABLES

• **les pronoms variables en genre**

masculin	féminin
aucun	*aucune*
certain	*certaine*
nul	*nulle*
un	*une*

• **les pronoms variables en nombre**

singulier	pluriel
l'autre	*les autres*
un(e) autre	*des autres*

• **les pronoms variables en genre et en nombre**

	singulier	pluriel
masculin	*quelqu'un*	*quelques-uns*
féminin	*quelqu'une*	*quelques-unes*
masculin	*tel*	*tels*
féminin	*telle*	*telles*
masculin	*tout*	*tous*
féminin	*toute*	*toutes*
masculin	*l'un*	*les uns*
féminin	*l'une*	*les unes*

✓ On peut aussi classer les pronoms indéfinis en fonction de leur sens, **négatif** ou **positif** :

LES PRONOMS INDÉFINIS DE SENS NÉGATIF

aucun(e) / nul(le) / personne / rien

LES PRONOMS INDÉFINIS DE SENS POSITIF

Un seul être / Une seule chose

le(la) même / l'un(e) ; l'autre / quelque chose / quelqu'un(e) / quiconque, …

Plusieurs êtres / choses

autrui / certain(e)s / les mêmes / les un(e)s ; les autres / plusieurs / quelques-un(e)s, …

Un groupe d'êtres / choses

chacun(e)/ tous, (toutes)…

6.3. Emploi du pronom indéfini

✓ ***Un(e)***

Le pronom indéfini *un(e)* est en général accompagné de l'article défini et n'accompagne jamais un nom.

On le trouve fréquemment dans les locutions : *l'un(e) l'autre, ni l'un(e) ni l'autre, l'un(e) et l'autre*, etc. Les adjectifs indéfinis *un(e)* et *autre*, précédés de l'article, deviennent alors des pronoms indéfinis :

> *Ils / elles s'apprécient* ***l'un(e) l'autre****.*
>
> ***L'un(e) et l'autre*** *sont satisfait(e)s.*
>
> *Ils / elles médisent* ***l'un(e) de l'autre****.*

✓ ***Chacun(e)***

Chacun(e) à se place avant ou après le verbe :

> ***Chacun*** *doit attendre son tour.*
>
> *Rangez ces disquettes* ***chacune*** *à sa place.*
> *ou*
> *Rangez ces disquettes* ***chacune*** *à leur place.*

Placé avant le verbe, *chacun(e)* se construit toujours avec l'adjectif possessif *son, sa, ses* ; placé après le verbe, *chacun(e)* se construit avec *son, sa, ses* ou avec *leur, leurs.*

✓ Les mots ***aucun(e)***, ***autre(s)***, ***certains***, ***nul(le)***, ***plusieurs***, ***tel(le)***, sont employés comme adjectifs indéfinis ou comme pronoms indéfinis. Attention à ne pas les confondre :

> *Dans d'****autres***[1] *circonstances, nous aurions pu accepter de prendre* ***certains***[2] *risques. Dans la situation actuelle, nous pensons qu'il ne faut en prendre* ***aucun***[3]*, même si* ***certain(e)s***[4] *nous désapprouvent et que d'****autres***[5] *nous critiquent.*

[1]adjectif indéfini ; [2]adjectif indéfini ; [3]pronom indéfini ; [4]pronom indéfini ; [5]pronom indéfini.

Ces mots, employés comme adjectifs indéfinis, accompagnent le nom qu'ils déterminent. En tant que pronoms indéfinis, ils remplaçent un nom.

✓ *Tout(e), tous*

Tout(e) peut être un pronom indéfini de genre neutre Attention à ne pas le confondre avec l'adjectif indéfini l'adjectif qualificatif, le pronom, le nom ou encore l'adverbe qui ont la même forme :

> – *Prête-moi **tout** [1] ce dossier de presse, **tout**[2] m'intéresse ! je te rapporte le **tout**[3] demain. J'aurai lu **tous**[4] les articles d'ici là.*
> – ***Tous**[5], peut-être pas ! En tout cas, rappelle-toi que tu n'es pas **tout**[6] seul, nous avons **tous**[7] besoin de ce dossier.*
> – *Ne t'inquiète pas, tu l'auras demain, j'ai **toute**[8] la nuit pour le lire !*

[1][8] *tout* et *toute* sont des adjectif qualificatifs ; *tout* est adjectif qualificatif lorsqu'il a le sens de *unique, entier*.
[2][5][7] *tout, tous* sont des pronoms indéfinis, le premier signifiant *toute chose*, le deuxième rappelant l'antécédent *articles* et le troisième employé sans antécédent ayant le sens de *tout le monde*.
[3] *tout* est un nom commun ; *tout* est nom commun lorsqu'il est précédé d'un article ou d'un adjectif déterminatif. Notez que le pluriel de *un tout* sera : *des touts*.
[4] *tous* est adjectif indéfini joint au nom *articles* pour marquer une idée de quantité ; il signifie dans cet exemple : *l'ensemble des articles sans exception*.
[6] *tout* a le sens de *tout à fait, entièrement* ; il est adverbe et modifie l'adjectif seul. Rappelons que l'adverbe est invariable et qu'il peut modifier un adjectif, un par-

ticipe ou un adverbe.

✓ L'emploi des **pronoms indéfinis négatifs**

Les pronoms indéfinis négatifs *aucun(e), nul(le), pas un(e), personne, rien* s'emploient le plus souvent avec la négation *-ne* :

__Nul__ ne répondit.

Elle n'a __rien__ vu.

• ***Rien***

Le pronom indéfini *rien* est neutre et n'est jamais précédé d'un article.

Tout est calme, __rien__ ne bouge.

✗ Attention à ne pas confondre *rien*, pronom indéfini, avec *rien*, nom masculin :

A. *Vous vous faites du souci pour un __rien__.*

B. ***Rien** ne sert de vous faire tant de souci.*

C. *Ce sont des __riens__ qui font toujours plaisir.*

A. nom commun ; B. pronom indéfini ; C. nom commun. *Rien* est nom commun masculin lorsqu'il est variable en nombre et précédé d'un article.

• ***Personne***

Il ne faut pas confondre *personne*, pronom indéfini, avec *personne*, nom commun :

A. *Quelle est la __personne__ qui est entrée après toi ?*

B. ***Personne** n'a pénétré dans l'appartement après moi, j'en suis sûr.*

A. *Personne* est un nom commun féminin ; en tant que nom commun, *personne* est de genre féminin, s'emploie avec l'article et peut se mettre au pluriel.
B. *Personne* est pronom indéfini.

7. Pronoms interrogatifs

7.1. Rôle du pronom interrogatif

Les pronoms interrogatifs, comme leur nom l'indique servent à marquer l'interrogation et demandent une désignation précise de l'être ou de la chose qu'ils représentent :

De quoi s'agit-il ?

Qui vient ?

7.2. Formes du pronom interrogatif

Il y a trois formes du pronom interrogatif :

- Les pronoms interrogatifs simples,
- Les pronoms interrogatifs composés,
- Les pronoms interrogatifs renforcés.

Le tableau page suivante :
TABLEAU DES FORMES DU PRONOM INTERROGATIF présente un récapitulatif des différentes formes possibles du pronom interrogatif.

7.3. Place des pronoms interrogatifs

- Dans **l'interrogation directe**, les pronoms interrogatifs se placent en tête de la phrase interrogative (ils ne dépendent pas d'un verbe précédent) :

Qui vient ?

Qu'est-ce que tu veux ?

- Dans **l'interrogation indirecte**, l'interrogation est exprimée par une proposition subordonnée complément d'objet d'un verbe précédent de sens interrogatif.

TABLEAU DES FORMES DU PRONOM INTERROGATIF

LES PRONOMS INTERROGATIFS SIMPLES

	singulier et pluriel
masculin et féminin	*qui ?*
neutre	*que ? / quoi ?*

LES PRONOMS INTERROGATIFS COMPOSÉS

	singulier	pluriel
masculin	*lequel ?*	*lesquels ?*
	duquel ?	*desquels ?*
	auquel ?	*auxquels ?*
féminin	*laquelle ?*	*lesquelles ?*
	de laquelle ?	*desquelles ?*
	à laquelle ?	*auxquelles ?*

LES PRONOMS INTERROGATIFS RENFORCÉS

	singulier ou pluriel
masculin et féminin	*qui est-ce qui ?*
	qui est-ce que ?
neutre	*qu'est-ce qui ?*
	qu'est-ce que ?
	(à, de, etc.) quoi est-ce que ?

Les pronoms interrogatifs sont placés en tête de la proposition subordonnée :

*Dites-moi **qui** vous êtes.*

*Demandez-moi ce **que** vous voulez.*

7.4. Emploi des pronoms interrogatifs

✓ ***Qui*** interrogatif peut représenter un nom masculin ou féminin ; il peut s'employer avec des prépositions (*à, de, pour*, etc.) dans des interrogations directes ou indirectes. *Qui* est sujet, attribut ou complément d'objet :

***Qui** vous appelle ?* (sujet)

***Qui** êtes-vous ?* (attribut)

***Qui** avez-vous rencontré ? – Ma tante.*
(complément d'objet direct)

*À **qui** as-tu demandé ton chemin ?*
*Je voudrais savoir à **qui** tu as demandé ton chemin.*
(complément d'objet indirect)

✓ Pour représenter des choses, on emploie les pronoms ***que*** ou ***quoi*** :

***Que** lui est-il arrivé ?* (*que* est sujet)

***Qu**'est-elle devenue ?* (*que* est attribut)

***Que** voulez-vous ?*
(*que* est complément d'objet direct)

*De **quoi** vivais-tu à cette époque ?*
(*quoi* est complément d'objet indirect)

*Avec **quoi** vous êtes-vous protégé du froid ?*
(*que* est complément circonstantiel)

Quoi est employé à la place de *que* :

• pour représenter le sujet ou le complément d'objet d'un verbe non exprimé, on emploie *quoi* à la place de *que* :

__Quoi__ de neuf ?

• lorsque le pronom est précédé d'une préposition et a une fonction de complément indirect :

__À quoi__ penses-tu ?

__De quoi__ avez-vous parlé ?

✓ Le **pronom interrogatif composé** s'emploie pour représenter un antécédent (c'est-à-dire un nom précédemment évoqué qu'il remplace) ou un complément :

__Lequel__ de ces livres veux-tu acheter ?
Le pronom *lequel* a une fonction sujet et représente le complément *livres*.

Parmi toutes ces imprimantes laser, __laquelle__ choisiriez-vous ?
L'antécédent est le nom *imprimantes laser* ; *laquelle* occupe une fonction de complément d'objet.

✓ Les **pronoms interrogatifs renforcés** s'emploient seulement dans l'interrogation directe :

De __qui est-ce que__ tu parles ?

__Qu'est-ce que__ vous voulez dire ?

Interrogation indirecte :

Je ne comprends pas de __qui__ tu parles.

Je me demande ce __que__ vous voulez dire.

• Pour poser des questions sur des personnes, on emploie *qui est-ce qui* (sujet) ou *qui est-ce que* (complément) :

__Qui est-ce qui__ est venu chez nous ce matin ? (sujet)

__Avec qui est-ce que__ tu viens ce soir ?
(complément circonstantiel)

__De qui est-ce que__ tu parles ?
(complément d'objet indirect)

• Pour poser des questions sur des choses, on emplo
qu'est ce-qui (sujet) ou *qu'est-ce que*, ...*quoi est-ce q*
(complément) :

Qu'est-ce qui *te contrarie à ce point ?* (sujet)

Qu'est-ce que *tu veux ?* (complément d'objet dire

En ***quoi est-ce que*** *vous croyez ?*
(complément circonstantiel)

CHAPITRE 8

PRÉPOSITION – CONJONCTION – INTERJECTION

. Préposition

1.1. Définition et principales prépositions

a) **Définition** : la préposition est un mot invariable qui se place devant un complément qu'elle introduit ; elle est utilisée pour lier ce complément au mot qui le précède et à en marquer le rapport.

Par exemple, dans les phrases :

Le livre **de** *Jacqueline est sur la table.*

Le mot *de* joint le nom *Jacqueline* au nom *livre* pour compléter le sens de *livre* en exprimant un rapport d'origine.

Fais cela **pour** *moi.*

Le mot *pour* joint le pronom *moi* au verbe *faire* pour compléter le sens de ce verbe, en exprimant un rapport de but.

b) **Les principales prépositions** sont :

à	*après*	*avant*	*avec*	*chez*
contre	*dans*	*de*	*depuis*	*derrière*

dès	*devant*	*deçà*	*delà*	*durant*
en	*entre*	*envers*	*hormis*	*hors*
malgré	*moyennant*		*outre*	*par*
parmi	*pendant*	*pour*	*sans*	*sauf*
selon	*sous*	*suivant*	*sur*	*vers*
voici	*voilà*			

Il existe aussi de nombreuses locutions prépositive[s] formés de plusieurs prépositions, d'adverbes suivis d[e] *de*, de noms précédés ou suivis d'une préposition :

à la place de, à cause de, afin de, à l'égard de, en ra[i]son de, en dépit de, par rapport à, au-dessus de, grâc[e] à, faute de, au lieu de, près de, jusqu'à, etc.

1.2. Emploi de la préposition

La proposition est utilisée pour :

✓ **Mettre en rapport un complément qu'elle intro[-]duit avec le mot qui précède.**

Ce complément peut être :

• Un nom, un pronom, un groupe nominal :

Un moteur ***à*** *essence. – Veux-tu jouer* ***avec*** *moi ?*

Plusieurs ***de*** *mes meilleurs amis sont venus.*

• Un adverbe : ***dès*** *aujourd'hui*.

• Un verbe (infinitif ou participe) :

Travailler ***pour*** *vivre. – Marcher* ***en*** *chantant.*

✓ **Préciser la fonction occupée par ce complémen[t]** dans la phrase.

(1) ***Après*** *le repas, (2) le chat* ***de*** *Colette s'est cach[é] (3)* ***dans*** *le grenier encombré (4)* ***pour*** *dormir tran[-]quillement.*

(1) *Après* indique la relation de *repas* avec le verbe *s*[...]

cacher : complément circonstantiel de temps.
(2) *de* indique la relation entre *Colette* et *chat* : *Colette* est complément du nom *chat*.
(3) *dans* indique la relation, complément circonstantiel de lieu, entre *le grenier encombré* et le verbe *se cacher*.
(4) *pour* indique la relation, complément circonstantiel de but, entre *dormir tranquillement* et *se cacher*.

✓ **Le sens des prépositions** : les prépositions et les locutions prépositives indiquent des rapports variés, dont voici quelques exemples :

• Rapport de **lieu** avec ou sans mouvement (*dans, à l'intérieur / extérieur, chez, sur, sous, entre*, etc.) :
Je suis ***chez*** *un ami. – Je vais* ***à*** *Londres.*

• Rapport de **but** (*pour, afin de, en vue de*, etc.) :
Elle travaille ***pour*** *gagner sa vie.*

• Rapport de **durée**, de **temps** (*avant, après, depuis, durant, pendant*, etc.) :
Pendant *mes vacances ... –* ***Depuis*** *plusieurs années ...*

• Rapport de **moyen** (*par, moyennant, grâce à*, etc.) :
Il a réussi ***grâce à*** *son courage et à sa persévérance.*

• Rapport de **cause** (*par, pour, à cause de, en raison de*, etc.) :
Je suis venu ***pour*** *toi. – Il a échoué* ***par*** *maladresse.*

• Rapport de **manière** (*avec, sans, selon*, etc.) :
Elle mangeait son gâteau ***avec*** *gourmandise.*

✘ Attention : une même préposition peut avoir plusieurs sens (en fonction de la nature de son complément et du sens du verbe) :
Je vais ***à*** *Paris*. (lieu) – *Rendez-vous* ***à*** *13h*. (temps)
Il parle ***à*** *voix basse*. (manière)
Cette veste appartient ***à*** *Julie*. (appartenance)
Elle pleure ***de*** *déception*. (cause)

Une statue **de** *bronze*. (matière)

Je l'ai fait **pour** *toi*. (cause) — *Je pars* **pour** *Paris*. (lieu
Je pars **pour** *la journée*. (temps)

2. Conjonction

La conjonction est un **mot invariable** qui sert à **lie entre eux des mots ou des propositions**.

Elle se place entre les mots ou entre les proposition qu'elle unit.

Il convient de distinguer les conjonctions de coordina tion et les conjonctions de subordination.

2.1. Conjonctions de coordination

a) Définition : les conjonctions de coordination relien des mots ou des propositions de même nature (indépen dante, principale ou subordonnée).

(1) La cigale **et** *la fourmi*.

(2) Paul regarda le chocolat avec gourmandise **mai** *n'osa pas en prendre*.

Dans ces deux exemples, les conjonctions de coordina tion *et* et *mais* servent de lien entre deux noms (1) e deux propositions (2) qui demeurent indépendantes.

b) Principales conjonctions de coordination

Elles sont formées d'un mot (conjonction) ou de plu sieurs mots (locution prépositive) :

et, ni, ou, mais, tantôt, car, en effet, cependant, néan moins, toutefois, d'ailleurs, or, ainsi, c'est-à-dire, etc.

c) Sens des conjonctions de coordination : elles peu vent exprimer la cause (*car, en effet*), la conséquenc (*ainsi, donc, c'est pourquoi*), l'affirmation (*et*), la néga tion (*ni*), l'opposition (*mais, pourtant, néanmoins, tou* *tefois*), l'explication (*c'est-à-dire, ainsi, par exemple*), la transition (*du reste, or, d'ailleurs*), etc.

✘ Attention : une même conjonction de coordination peut avoir plusieurs sens :

Elle chante ***et*** *elle danse*. (addition)
Il est plus fort que moi ***et*** *j'appréhende sa riposte*. (conséquence)
Il t'a déjà menti une fois ***et*** *tu continues à le croire !* (opposition)

2.1. Conjonctions de subordination

a) Définition : les conjonctions de subordination relient une proposition principale à une proposition subordonnée, c'est-à-dire que l'une dépend de l'autre.

Tu réussiras ***si*** *tu persévères*.

Je sais ***qu'****elle est heureuse maintenant*.

b) Principales conjonctions de subordination

Elles sont formées d'un mot (conjonction) ou de plusieurs mots (locution prépositive) :

• Propositions subordonnées complétives (utilisées pour compléter le verbe de la proposition principale) : *que*.

• Propositions subordonnées circonstantielles : *quand, lorsque* (temps), *parce que, puisque* (cause), *de sorte que* (conséquence), *afin que, pour que* (but), *comme, de même que, ainsi que, autant que* (comparaison), *quoique, même, bien que, même si* (concession), *si, pourvu que* (condition), etc.

✘ Attention : une même conjonction de subordination peut avoir plusieurs sens :

Fais donc ***comme*** *moi !* (comparaison)
Elle arriva ***comme*** *je terminais mon travail*. (temps)

Comme *vous étiez en retard, je suis parti*. (cause)

Je suis si fatigué ***que*** *je ne peux plus avancer.* (conséquence)

Qu*'il ait tort ou* ***qu****'il ait raison, je n'approuve pas sa conduite*. (opposition)

3. Interjection

a) Définition et emploi

L'interjection est un mot invariable qui exprime un sentiment vif, un cri, une exclamation. Elle est formée d'un mot (interjection) ou de plusieurs mots (locution interjective).

• L'interjection sert à exprimer des sentiments variés comme l'étonnement, l'indignation, l'aversion ou le dégoût (*Pouah !*), l'encouragement ou l'exhortation (*Allons !, Courage !*), le soulagement (*Ouf !*), etc.

b) Exemples d'interjections

ah !, oh !, euh !, eh !, hé !, hue !, bah !, hein !, chut !, aïe !, hélas !, hum !, etc.

• Les interjections sont parfois de simples onomatopées *pstt !, crac !, paf !, boum !*

• On peut aussi employer comme interjections :

— des noms : *Courage ! – Ciel !*

— des adjectifs : *Bon ! – Ferme !*

— des adverbes : *Bien ! – Vite ! – Assez !*

— des verbes : *Tiens ! – Allons ! – Suffit !*

CHAPITRE 9

LA PHRASE

1. La phrase

1.1. Définition

Une **phrase** est constituée par un ensemble de mots groupés dans un ordre logique et qui expriment un sens.

Une phrase peut être :

• déclarative :

Cécile est rentrée tard hier soir. (phrase affirmative)

Cécile n'est pas rentrée tard hier soir. (phrase négative)

• interrogative :

Cécile est-elle rentrée tard hier soir ? (interrogation directe)

Je me demande si Cécile est rentrée tard hier soir. (interrogation indirecte)

• exclamative : *Cécile est rentrée très tard hier soir !*

• impérative : *Rentre plus tôt ce soir.*

La phrase exprime qu'un être ou une chose :

- est ou se trouve dans un état exprimé par le verbe :

  Cet animal est un chat noir.

  Elle semble heureuse.
- fait une action : *Elle chante.*
- subit une action :

  Son travail est contrôlé par son directeur.

1.2. Structure de la phrase

À l'intérieur d'une phrase, le regroupement de mots qui permet d'exprimer à lui seul un sens complet est appelé **proposition**. Elle exprime une pensée, un fait, un jugement, un sentiment, etc.

Une phrase peut être composée d'une ou plusieurs propositions. On dénombre dans une phrase autant de propositions que de verbes à un mode personnel, exprimés ou sous-entendus.

- *Partons !*

Dans cet exemple, la phrase est réduite à une proposition, elle-même réduite à un mot, le verbe *partir*.

- Dans la phrase : *Jean lit.*

il n'y a qu'une seule proposition. Dans la phrase :

(1) Je crois (2) que Jean lit.

il y a deux propositions.

- La phrase :

(1) Je crois (2) que Jean lit (3) lorsqu'il s'enferme dans sa chambre.

contient trois propositions.

✘ Attention : des mots peuvent être sous-entendus dans la **proposition elliptique**.

Une proposition est dite elliptique lorsqu'elle contient un ou plusieurs mots sous-entendus. Ainsi, la phrase :

(1) Tu parles (2) comme ma mère !

contient deux propositions.

La proposition : *comme ma mère*, est une proposition elliptique car le verbe parler est sous-entendu :

*(1) Tu parles (2) comme ma mère (*sous-entendu : *parle) !*

Que voulez-vous ? – Rien.
(sous-entendu : *je ne veux) rien.*

Une phrase, nous l'avons vu, est constituée d'une ou plusieurs propositions. Chaque proposition est elle-même composée de plusieurs éléments : **le sujet**, **le verbe**, **l'attribut**, **le(s) complément(s)**, que nous allons étudier dans les § 2 et 3.

☞ Remarque : l'analyse fonctionnelle consiste à analyser la phrase en **groupes fonctionnels**. Les mots sont assemblés en *groupes de mots*, ces groupes occupant chacun une *fonction grammaticale*. Prenons un exemple :

Le frère de mon ami travaille avec acharnement depuis ce matin.

Dans cette phrase, on peut identifier trois groupes :

• un groupe sujet : *le frère de mon ami* ;

• un groupe complément circonstantiel de manière : *avec acharnement*.

• un groupe complément circonstantiel de temps : *depuis ce matin*.

Le verbe : *travaille* constitue le noyau de cette phrase.

2. Les mots essentiels de la proposition

Les éléments essentiels d'une proposition sont le **sujet** et le **prédicat**.

• le sujet représente l'être ou la chose qui est, se trouve dans l'état, fait ou subit l'action exprimée par le verbe.

• Le **prédicat** est le mot ou le groupe de mots qui donne des précisions sur le sujet. Le prédicat peut être composé d'un **verbe** seul, d'un verbe et d'un **attribut** (nom ou adjectif), d'un verbe et de **complément(s)**.

2.1. Le sujet

Le mot sujet peut être :

— un ou plusieurs noms :

*La **nuit** tombe.* (un nom sujet)

*La **fatigue** et le **froid** le faisaient grelotter.* (deux noms sujet)

— un pronom : ***Il** est très fatigué.*

— un verbe ou adjectif employé comme nom :

***S'amuser** est sa seule préoccupation du moment.* (verbe à l'infinitif)

*Le **meilleur** est à venir.* (adjectif)

— une proposition :

***Qui sème le vent** récolte la tempête.*

Une proposition servant de sujet à une autre proposition peut avoir un sujet grammatical apparent, le pronom neutre ***il*** ou le pronom démonstratif neutre ***ce***, qui introduit le sujet réel.

***C'**est à vous d'indiquer la **conduite** à tenir.*

***Il** vous incombe de **mener** à bien cette mission.*

☞ Remarque : l'emploi des verbes impersonnels entraîne souvent l'utilisation d'un sujet apparent :

__Il__ faut de l'__endurance__ pour arriver jusqu'au sommet de cette montagne.
(sujet apparent : pronom neutre *il* ; sujet réel : *endurance*)

__Il__ tombe de la __neige__ fondue.
(sujet apparent : pronom neutre *il* ; sujet réel : *neige*)

2.2. Le prédicat

✓ Le verbe

Le verbe est le mot ou le groupe de mots qui expriment l'état ou l'action de l'être ou de la chose ayant une fonction sujet.

Le soleil brille
Le sujet *soleil* fait l'action exprimée par le verbe *briller*.

Le verbe indique :

- **l'état** du sujet :

  Elle __est__ estimée pour sa compétence.

  Il __semble__ content de ses résultats.

- **l'action** du sujet :

  Il __court__ très vite. (verbe intransitif *voir p. 31*)

  Catherine __mange__ une pomme. (verbe transitif *voir p. 31*)

  Elle __a peur__ de l'avenir. (locution verbale)

✓ L'attribut

Dans la phrase :

Le temps est __orageux__ depuis le début de l'après-midi.

la qualité de *orageux* est attribuée au nom sujet *temps* ;

orageux est attribut du sujet *temps*.

L'attribut complète le verbe et exprime la qualité attribuée au mot sujet.

L'attribut du sujet complète le verbe être ou un verbe d'état. L'attribut peut être un nom, un pronom, un adverbe, un adjectif, un verbe ou une proposition :

Il semble ***déterminé*** *à aller jusqu'au bout.*
Le participe passé *déterminé* est attribut du sujet *il* ; *sembler* est un verbe d'état.

Marie *est* ***heureuse***.
L'adjectif *heureuse* est attribut du sujet *Marie*.

Mon intuition est ***que cette alternative n'est pas la bonne***.
La proposition : *que cette alternative n'est pas la bonne* est attribut du sujet *intuition*.

N.B. — voir aussi CHAPITRE 2. LE VERBE, § 2.1. Verbes d'état et verbes d'action, p. 30.

☞ Remarque : à l'intérieur d'une proposition, le nom est accompagné d'autres mots qui le précisent, le complètent et font partie du groupe nominal. Il peut s'agir de :

• l'article :

un *verre* – ***la*** *table* – ***du*** *beurre*.

• un adjectif déterminatif : démonstratif, possessif, relatif, exclamatif, indéfini, numéral, interrogatif (voir CHAPITRE 5. LE DÉTERMINANT, § 3 à 8, p. 195 à 209) :

trois *verres* – ***sa*** *serviette* – ***cette*** *table*.

• un adjectif épithète (dont la caractéristique est directement appliquée au nom, sans l'intermédiaire d'un verbe) ou un adverbe pris adjectivement :

Une chemise **bleue** — Une table **ronde** — Un enfant **gai**.

• un mot (nom, pronom, infinitif) ou une proposition en

apposition. L'apposition signifie que le mot (ou la proposition) est placé à côté du nom qualifié pour en préciser le sens :

*Jacques, **son meilleur ami**, l'a accompagné.*

• un complément déterminatif, c'est-à-dire un mot (nom, pronom, infinitif, adverbe) ou une proposition qui complète et détermine le sens du mot auquel il se rapporte :

*La sœur de **mon oncle**.*

*Un dossier de **presse à scandale**.*

✓ **Le(s) complément(s)** essentiels qui apportent des précisions sur le sujet font aussi partie du prédicat (voir § 3. Les compléments, ci-après).

3. Les compléments

3.1. Définition

On appelle complément un mot ou une proposition rattachés à un autre mot ou à une autre proposition pour en compléter ou en préciser le sens.

3.2. Le complément de l'adjectif

a) Fonctions

✓ Il sert à préciser le sens général d'un adjectif dans un contexte particulier :

Un visage pâle. (sens général)

*Un visage pâle de **frayeur**.*
(le complément *frayeur* précise le sens de *pâle*)

✓ Dans certains cas, le complément est nécessaire, car sans lui le sens de l'adjectif serait incomplet:

*Il est désireux de **réussir**.*

Ici, l'adjectif *désireux* a besoin d'un complément pour faire sens.

b) Place du complément de l'adjectif

Le complément de l'adjectif se place toujours après l'adjectif qu'il précise ou complète.

c) Types de compléments de l'adjectif

Les compléments de l'adjectif peuvent être :

✓ un nom : *Une assiette* <u>*pleine*</u> *de* ***soupe***.

✓ un pronom : *Je suis* <u>*fier*</u> *de* ***vous***.

✓ un infinitif : <u>*Facile*</u> *à* ***dire*** *!*

✓ une subordonnée : *Nous sommes* <u>*sûrs*</u> ***qu'ils accepteront***.

d) Construction du complément de l'adjectif

✓ Il est très souvent introduit par les prépositions **à** et **de** :

Il est très facile ***à*** *vivre. — Un avenir riche* ***de*** *promesses.*

✓ On rencontre également les prépositions suivantes :

— *avec* : *Il est gentil* ***avec*** *sa petite soeur.*

— *dans* : *Anne est compétente* ***dans*** *son domaine.*

— *en* : *Il est fort* ***en*** *maths !*

— *envers* : *Il est généreux* ***envers*** *ses amis.*

— *par* : *Elle est ponctuelle* ***par*** *habitude.*

— *pour* :*Vous êtes bon* ***pour*** *le service !*

— *sur* : *Il est inquiet* ***sur*** *son avenir.*

e) Le complément du comparatif

L'adjectif au comparatif peut avoir plusieurs types de compléments :

✓ un adjectif : *Il est aussi intelligent que* ***travailleur***.

✓ un adverbe : *Elle est plus compétente qu'**avant**.*

✓ un nom : *Il est plus grand que son **frère**.*

✓ un pronom : *Elle est plus sérieuse que **lui**.*

✓ une proposition : *C'est plus difficile **qu'on ne le croit** !*

☞ Remarque : l'adjectif, l'adverbe, le nom, le pronom sont introduits, non par une préposition, mais par la conjonction *que*, car ils jouent en fait le rôle d'une proposition subordonnée.

Il est aussi intelligent que travailleur
= Il est aussi intelligent qu'il est travailleur.

f) Le complément du superlatif

L'adjectif au superlatif peut avoir plusieurs types de complément :

✓ un nom : *Il est le plus riche du **pays**.*

✓ un pronom : *Il est sans conteste le plus fort d'entre **nous** !*

✓ une subordonnée relative :

*C'est le film le plus intéressant **que nous ayons vu récemment**.*

☞ Remarque : le nom et le pronom sont toujours introduits par la préposition *de*.

3.3. Le complément de l'adverbe et des mots invariables

a) Compléments de l'adverbe

De nombreux adverbes peuvent recevoir un complément qui sera :

✓ un autre adverbe :

*Les pompiers sont arrivés très **rapidement**.*

✓ un nom : *Ils n'ont pas assez de **travail**.*

✓ un pronom : *Laurent chante mieux que* ***moi*** *!*

✓ une proposition subordonnée :

Certainement ***qu'il chante bien*** *!*

✓ un préfixe d'intensité tel que : *archi, hyper, super,* dans le style familier :

C'est ***archi*** *connu ! – C'est* ***hyper*** *chouette !*
C'est ***super*** *sympa !*

Compléments de l'adverbe au comparatif et au superlatif :

Ces compléments se construisent comme ceux du comparatif et du superlatif de l'adjectif :

✓ comparatif : *Laurent chante aussi bien qu'Hervé.*

✓ superlatif :

Il faudra les recevoir le plus aimablement possible.

b) Complément de l'interjection

Certaines interjections (voir CHAPITRE 8, § 3, L'interjection) peuvent être suivies d'un complément :

Attention ***à la peinture*** *! – Gare* ***à vous*** *!*

c) Complément de la préposition

Les prépositions peuvent avoir un adverbe comme complément :

Je viendrai longtemps ***après*** *la fin de la représentation.*

3.4. Le complément d'agent

a) Définition et emploi du complément d'agent

Le complément d'agent est le complément d'un verbe à la voix passive : celle-ci est employée lorsque le sujet subit l'action indiquée par le verbe.

Le complément d'agent est donc ce **par qui**, **par quoi** ou le **moyen** par lequel une action est accomplie.

✓ par qui : *J'ai été piqué* ***par un moustique***.

Elle a été invitée ***par ses parents****.*

✓ par quoi : *Il a été renversé* ***par une voiture*** *!*

✓ par quel moyen : *Il a été blessé* ***d'un coup de couteau****.*

b) Caractéristiques

Le complément d'agent est introduit par les prépositions ***de*** ou ***par***.

✓ ***par*** est le plus fréquemment utilisé ;

✓ ***de*** est d'un emploi plus restreint, dans une langue plus recherchée ; on rencontrera *de* :

— après des verbes exprimant des sentiments (*aimer*) ou une opération de l'esprit (*connaître*) :

Il est aimé ***de*** *ses amis. – C'est une chose connue* ***de*** *tous.*

— après un verbe pris au sens figuré :

Ils sont couverts ***de*** *dettes.*

✓ ***par*** peut toujours remplacer ***de*** (mais pas le contraire).

✓ la préposition ***à***, ***au***, peut introduire un complément d'agent dans des expressions telles que : *piqué* ***au*** *vif.*

3.5. Les compléments circonstanciels

a) Définition

On dénomme ainsi des compléments qui renseignent sur les circonstances dans lesquelles le sujet fait ou subit l'action exprimée par le verbe. Ces circonstances peuvent être nombreuses et on peut en dénombrer plusieurs dizaines. On examinera ici les plus fréquentes :

✓ L'accompagnement : *Il est venu* ***avec ses amis****.*

✓ Le but : *Ils économisent* ***pour acheter une maison****.*

✓ La cause : *Elle a été sélectionnée* ***pour sa compétence****.*

✓ Le lieu : *Ils vont aller* ***à Londres****.*

✓ La manière : *Il vaut mieux agir* ***avec prudence****.*

✓ Le moyen : *Elle travaille* ***avec un ordinateur****.*

✓ Le temps : *Nous arriverons* ***à midi****.*

b) Nature

✓ Les compléments circonstanciels peuvent être :

• un adverbe : *Il faut conduire* ***prudemment****.*

• un nom : *Il écoute avec* ***patience****.*

• un infinitif : *Il joue pour* ***gagner****.*

• un participe : *Il a parlé* ***en dormant****.*

• un pronom personnel :

Nous avons discuté avec ***eux****.*
Il est parti aussitôt après ***vous****.*

• une proposition subordonnée relative ou circonstancielle :

Nous discuterons ***avec qui voudra bien****.*

Il viendront ***quand ils pourront****.*

c) Emploi

✓ Une phrase peut comporter plusieurs compléments circonstantiels qui expriment des circonstances différentes :

Nous irons ***demain en train à Paris****,* ***avec nos enfants****,* **pour visiter** le musée du Louvre.

demain (temps) ; *en train* (moyen) ; *à Paris* (lieu) ; *avec nos enfants* (accompagnement) ; *pour visiter* (but)

☞ Remarque : on n'utilise pas, dans ce cas, la conjonction de coordination *et*.

En revanche, s'il existe plusieurs compléments circonstanciels exprimant la même circonstance, on utilise la conjonction *et*.

Nous irons ***au musée*** ***et*** ***au théâtre****.*
au musée (lieu) — *au théâtre* (lieu)

✓ Suppression du complément circonstanciel :

Si l'on supprime le complément circonstantiel, la phrase conserve la plupart du temps une signification. Ainsi dans la phrase :

Elle travaille ***avec un ordinateur****,*

on peut enlever le complément circonstantiel *avec un ordinateur* et on obtient alors : *elle travaille*, phrase élémentaire, mais on perd l'information sur les circonstances de l'action.

✘ Attention : dans certains cas, le complément circonstantiel peut donner le sens de la phrase.

Ainsi, dans la phrase : *Nous allons* ***à Paris****,*

le complément de lieu *à Paris* est nécessaire pour que la phrase soit complète.

✓ Place des compléments circonstantiels :

• Ils se placent en général après le verbe.

• Ils se placent également après le complément d'objet direct quand il y en a un :

Elle a offert un collier ***à sa sœur****.*

• Dans certains cas, cet ordre peut être modifié pour mettre en valeur le complément.

Tous les jours*, c'est la même histoire.*
Demain*,* ***très tôt****, on se lèvera pour aller à l'aéroport.*

3.6. Le complément de nom

a) Définition

✓ Le complément de nom précise le sens du nom. C'est le plus souvent un nom : *Le prix de la viande*.

La fille de mon frère. – Le manche du couteau.

✓ Mais le complément de nom peut être également :

— un infinitif : *Le bonheur d'aimer.*

La joie de réussir.

— un pronom : *Le sort des autres. – Le respect de soi.*

✓ Le complément de nom est toujours placé après le nom qu'il précise.

b) Fonctions

Le complément de nom peut exprimer :

✓ l'appartenance : *La roue de la voiture.*

✓ La destination : *La salle de cinéma.*

✓ le lieu : *Le bord de la mer.*

✓ la matière : *Une montre en or.*

✓ le moyen :*Une locomotive à vapeur.*

✓ l'origine : *Une pièce de Racine.*

✓ la possession : *La maison de mes parents.*

✓ le prix : *Un appartement de deux millions.*

✓ la qualité : *Un acteur de grande valeur.*

✓ la quantité : *Une armée de dix mille hommes.*

✓ le temps : *Les technologies de demain.*

✓ l'utilisation : *Une voiture de fonction.*

c) Construction

Le complément de nom est le plus souvent introduit par une préposition :

✓ *de* est la plus fréquente.

✓ mais il peut être aussi introduit par :

— *à* : *La marine à voile.*

— *autour* : *Le boulevard autour de la ville.*

— *dans* : *Un café dans le centre.*

— *en* : *Un voyage en Angleterre.*

— *par* : *Le trajet par l'autoroute.*

— *pour* : *L'avion pour Nice.*

✓ Absence de préposition : dans la langue parlée, on peut rencontrer des expressions où la préposition a disparu :

Un meuble Empire (de l'époque Empire).

L'assurance-vie (pour la vie).

Le rayon vêtements pour femme (des vêtements pour femme).

✓ Coordination : quand un nom a deux compléments de nom exprimant la même fonction, l'emploi de la conjonction de coordination *et* est nécessaire.

Un palais de marbre et de granit.

Un jouet en carton et en papier.

✗ Attention à ne pas confondre complément de nom et complément de verbe :

Elle apporte une assiette de soupe.
(complément d'*assiette*)

Elle remplit une assiette de soupe.
(complément de *remplit*)

3.7. Le complément du pronom

✓ Les pronoms démonstratifs, interrogatifs ou indéfinis peuvent être suivis d'un complément déterminatif :

*Aucun d'**entre nous** ne pourrait vous répondre.*

*Qui de **vous tous** accepterait de venir avec moi ?*

*Ce n'est pas mon bonnet, c'est celui de **mon ami**.*

✓ Les pronoms personnels, possessifs ou relatifs

peuvent avoir pour complément une apposition :

*Vous, **les habitants de cette ville**, avez élu son maire.*

*Nous pensons, **mes camarades et moi**, que notre intérêt est de partir au plus tôt.*

3.8. Le complément d'objet

✓ L'emploi du complément d'objet est nécessaire après un verbe transitif. Il peut s'agir :

• d'un verbe transitif direct ; dans ce cas, le complément d'objet est relié directement, sans préposition, au verbe :

*Il chante **une chanson d'amour**.*

Le groupe nominal *une chanson d'amour* est complément d'objet direct, c'est-à-dire le groupe de mots sur lequel porte directement l'action du verbe *chanter*.

• d'un verbe transitif indirect ; le complément d'objet est relié au verbe par une préposition :

*Elle a écrit **à sa mère** dernièrement.*

Le groupe nominal *sa mère* est complément d'objet indirect ; il indique, à l'aide de la préposition *à*, sur qui s'exerce le but de l'action exprimé par le verbe *écrire*.

✓ Nature du complément d'objet :

Le complément d'objet peut être :

• un nom : *Je parle à ma **voisine** de palier.*

• un pronom : *Je **lui** parle.*

• un verbe à l'infinitif :

*Je préfère **me lever** très tôt le matin.*

*Je veux **comprendre** !*

• une proposition :

*Croire **que le travail est toujours récompensé** peut*

être source de déconvenues.

*Je crois **qu'il faut réfléchir avant d'agir**.*

. Catégories de propositions

4.1. Proposition indépendante

C'est une proposition qui ne dépend d'aucune autre proposition et qui possède par elle-même un sens complet. Une phrase peut comporter une ou plusieurs propositions indépendantes :

Les enfants jouaient dans la cour.

La phrase ci-dessus est composée d'une proposition indépendante.

(1) Les enfants jouaient dans la cour et (2) ils profitaient du beau temps.

Dans ce deuxième exemple, il y a deux propositions indépendantes **coordonnées** liées par une conjonction de coordination.

Ils criaient, ils couraient, ils se poursuivaient.

La phrase ci-dessus est composée de trois propositions indépendantes placés les unes à côté des autres sans lien grammatical : ce sont des propositions indépendantes **juxtaposées**.

☞ Rappel : les propositions **incises** sont aussi des propositions indépendantes.

*Il ment, **pensa-t-elle**, mais elle ne dit rien.*

Le mode du verbe de la proposition indépendante est le plus souvent à l'indicatif, mais il est aussi à l'impératif, au conditionnel ou au subjonctif.

Le verbe est à la forme affirmative, négative, interrogative ou exclamative.

*Il **ne regarde pas** le vide au-dessous de lui.*

*Je **serais** volontiers **allé** la voir.*

***Qu'il fasse** attention à lui !*

☞ Remarque : la proposition indépendante est parfc construite avec un verbe à l'infinitif :

Et tout le monde d'approuver.

Pourquoi continuer à l'attendre ?

4.2. Proposition principale

• La proposition principale est celle dont dépendent u ou plusieurs autres propositions, appelées propositio subordonnées, à l'intérieur d'une même phrase :

(1) Je vois (2) que vous êtes déterminée et (3) q vous ne renoncerez pas à votre projet.

(1) *Je vois* est une proposition indépendante ; les pr positions (2) et (3) sont des propositions subordonnée

• Une même phrase peut comporter plusieurs propos tions indépendantes :

***Je vois** que vous semblez déterminé et **j'en concl** que vous irez jusqu'au bout.*

Cette phrase comporte deux propositions principales *je vois* et *j'en conclus*.

• La proposition principale peut être placée avant c après la proposition subordonnée :

*Si vous aviez échoué, **il m'en aurait tenu grief**.*

***Il m'en aurait tenu grief** si vous aviez échoué.*

4.3. Propositions subordonnées

a) Définition de la proposition subordonnée

Une proposition qui dépend d'une autre proposition s'ajoute à elle pour en compléter le sens est appel proposition subordonnée :

Je souhaite ***que tu viennes avec moi****.*

La proposition subordonnée *que tu viennes avec moi* se rattache à la proposition principale *je souhaite*.

Parmi les propositions subordonnées, on distingue :

• les **propositions subordonnées relatives** introduites par un pronom relatif ;

• les **propositions complétives**, qui regroupent : les propositions introduites par *que*, les propositions introduites par un mot interrogatif et les propositions infinitives ;

• les **propositions circonstancielles** (de temps, de cause, de but, de conséquence, de concession, de condition, de comparaison) ;

• les **propositions participiales**.

b) Proposition subordonnée relative

✓ Définition

• Une proposition subordonnée relative est une proposition **introduite par un pronom relatif** (voir CHAPITRE 7 – LE PRONOM, § 5. Pronoms relatifs, p. 252).

Elle **complète le nom ou le groupe nominal de la proposition principale** à laquelle elle se rattache, en le précisant ou en lui apportant des explications complémentaires :

1. Elle surveillait le petit garçon ***qui jouait dans le jardin****.*

La proposition subordonnée relative *qui jouait dans la cour* aide à déterminer de façon plus complète le groupe nominal *le petit garçon* pour mieux l'identifier. La proposition principale est : *Elle surveillait le petit garçon*.

2. Le petit garçon, ***qui jouait dans la cour en ce***

moment, *était son fils.*

Dans ce deuxième exemple, la proposition subordonn relative apporte des informations complémentaires s le groupe nominal *le petit garçon*.

Dans les deux exemples, le groupe nominal *le petit ga çon* est l'antécédent du pronom relatif *qui*.

✓ Fonction

La proposition subordonnée relative peut occuper l fonctions suivantes dans la phrase :

- sujet :

  Qui veut atteindre ses objectifs *doit s'en donner l moyens.*

- épithète :

  Je ne mange que les pêches ***qui sont bien mûres.***

- attribut :

  Mon frère n'est pas ***qui vous croyez.***

  Je la regardais ***qui lisait son livre.***

- complément d'objet direct :

  Il a enfin obtenu le poste ***qu'il voulait.***

- complément circonstanciel :

  Mon ami, ***qui était très fatigué,*** *est parti e vacances.* (complément circonstanciel de cause)

  Donnez-moi des pastilles ***qui soignent la toux.*** (complément circonstanciel de but)

Le verbe de la proposition subordonnée relative peut êt à l'indicatif, à l'infinitif, au conditionnel ou au subjonct

c) Proposition subordonnée complétive

Les propositions subordonnées complétives servent compléter le verbe de la proposition principale. Il e existe trois catégories :

✓ **LES SUBORDONNÉES INTRODUITES PAR LA CONJONCTION DE SUBORDINATION « QUE »**

*Je comprends **que tu sois en colère**.*

☞ Dans la phrase, leur **fonction** peut être :

• complément d'objet direct :

*Je crois **qu'ils reviendront bientôt**.*

• sujet :

*Il est utile **que vous compreniez ce que je fais**.*

*L'important est **qu'elle soit d'accord avec nous**.*

• complément du nom :

*La pensée **qu'il avait gagné** le remplissait de joie.*

• complément de l'adjectif :

*Nous sommes soulagés **qu'il soit rentré sain et sauf**.*

• en apposition à un mot de la proposition principale :

***Qu'il eût écouté mes conseils**, rien n'était moins sûr.*

☞ Le **mode** du verbe de la proposition subordonnée complétive peut être :

• à l'indicatif (affirmation, perception) :

*Je <u>sais</u> **qu'il est très content**.*

• au subjonctif (doute, négation, désir) :

*Je <u>doute</u> **qu'il soit très content**.*

*Je <u>souhaite</u> **qu'il rentre ce soir**.*

• au conditionnel :

*Je savais **qu'il serait content**.* (= sens d'un futur dans le passé)

*Je suis sûre **qu'il serait très content s'il réussissait**.* (supposition)

✓ LES SUBORDONNÉES INFINITIVES

La proposition subordonnée infinitive possède un **verb à l'infinitif présent relié à un sujet placé avant o après ce verbe**. Elle n'est reliée par aucune conjonctio de subordination à la proposition principale dont el dépend.

*J'entendais **chanter les enfants de la chorale**.*

*Elle regarde **le chien ronger son os**.*

Le sujet de la proposition infinitive peut être un **nom** un **groupe nominal**, un **pronom** (personnel, possessi démonstratif, indéfini, relatif, interrogatif) ou encore u **adverbe de quantité** :

*J'entendais **siffler le train*** (le sujet est un nom)

*Je **l'**entendais **siffler au loin***. (le sujet est un pronon

*Il était impressionné de voir **autant de personnes s rassembler en aussi peu de temps***.

☞ Dans la phrase, leur **fonction** est le plus souvent :

- complément d'objet direct :

*J'admire **le soleil couchant tomber dans la mer**.*

- sujet : *Il ne faut pas **jouer avec le feu**.*

✓ LES SUBORDONNÉES INTERROGATIVES INDIRECTES

La proposition subordonnée interrogative est reliée à l proposition principale par un pronom, un adjectif ou u adverbe interrogatif.

*Je ne sais pas **quelle mouche l'a piqué**.*
(*quelle* : adjectif interrogatif)

*Merci de m'indiquer **qui pourra me renseigner**.*
(*qui* : pronom interrogatif)

*Je ne sais pas **comment résoudre ce problème**.*
(*comment* : adverbe interrogatif)

☞ Dans la phrase, la **fonction** de la subordonnée interrogative est le plus souvent complément d'objet :

*Dis-moi **quel cadeau tu voudrais pour ta fête**.*

*Pouvez-vous me dire **quelle heure vous avez**.*

Le verbe de la subordonnée interrogative peut être à l'indicatif, au conditionnel ou à l'infinitif.

d) Proposition subordonnée circonstantielle

• Les propositions subordonnées circonstancielles servent à **compléter le sens du verbe d'une autre proposition** de la phrase, le plus souvent principale.

• Elles sont **introduites par une conjonction de subordination**. Elles ont une fonction similaire à celle des compléments circonstantiels (cause, but, manière, etc.) vis-à-vis du verbe.

• Il existe sept catégories de propositions circonstancielles, suivant qu'elles expriment le temps, la cause, la conséquence, la comparaison, la condition, la concession, le but.

✓ **LES SUBORDONNÉES CIRCONSTANTIELLES DE TEMPS**

• Elles décrivent une action qui a lieu avant, pendant ou après l'action du verbe principal.

• Elles sont introduites par les conjonctions de subordination ***quand***, ***lorsque***, ***comme*** et par des locutions conjonctives : ***avant que***, ***pendant que***, ***après que***, ***dès que***, ***aussitôt que***, ***depuis que***, ***alors que***, ***au moment où***, ***jusqu'à ce que***, ***en attendant que***, etc.

*Tu dois agir très vite **avant qu'il ne soit trop tard**.*

L'action du verbe principal (*agir*) a lieu avant celui de la subordonnée.

*Elle s'est endormie **en attendant qu'il revienne**.*

L'action du verbe principal (*s'endormir*) a lieu en même

temps que celui de la subordonnée.

Elle s'est endormie ***après qu'il fut parti.***

L'action du verbe principal (*s'endormir*) a lieu aprè
celui de la subordonnée.

☞ Remarque : *après que*, par analogie avec *avant qu*
est souvent employé avec le subjonctif ; cet emplo
est critiqué (*Il sortira après qu'il ait fini*).

• Le verbe des subordonnées circonstantielles de temp
introduites par une conjonction ou locution conjonctiv
est au :

— mode **indicatif** ou au **conditionnel** (action antérieu
re ou simultanée à celle de la proposition principale) :

Elle lit une revue ***pendant qu'il écoute de la musique.***

Quand tu auras terminé*, n'oublie pas de ranger tou
ce matériel.*

Pendant que tu serais occupé à jardiner dehors*, j
pourrais ranger la maison.*

— au **subjonctif** avec les locutions ***avant que***, ***jusqu'à
ce que***, ***en attendant que*** :

Elle lit une revue ***en attendant qu'il revienne.***

Elle travaille sans répit ***jusqu'à ce que la journé
s'achève.***

☞ La **fonction** d'une proposition subordonnée circons
tantielle de temps est **complément circonstantiel de
temps**. Elle répond à la question ***quand ?***

Nous rentrerons ***lorsque le jour sera tombé.***
(nous rentrerons *quand* ?)

✓ LES SUBORDONNÉES CIRCONSTANTIELLES DE CAUSE

• Elles expriment une cause et sont introduites par le
conjonctions de subordination ***puisque***, ***comme***, et pa
les locutions conjonctives : ***parce que***, ***étant donné que***

attendu que, du moment que, vu que...

Il était inquiet ***parce qu'elle n'était toujours pas rentrée à la nuit tombée.***

• Le verbe des subordonnées circonstantielles de cause introduites par une conjonction ou locution conjonctive est au :

— mode **indicatif** :

Comme la soirée s'est terminée de bonne heure, *ils sont déjà tous partis.*

— au **subjonctif** avec les locutions ***non (pas) que.***:

Je ne suis pas venu, ***non pas que j'aie oublié notre rendez-vous,*** *mais parce que j'étais malade.*

☞ La **fonction** d'une proposition subordonnée circonstantielle de cause est **complément circonstantiel de cause**. Elle répond à la question ***pourquoi ?***

Nous sommes tristes ***parce que notre ami a eu un grave accident.*** (*pourquoi* sommes-nous tristes ?)

✓ LES SUBORDONNÉES CIRCONSTANTIELLES DE BUT

• Elles expriment une finalité, un but, et sont introduites par les locutions conjonctives ***pour que, afin que, de peur que, de crainte que...***

Je t'explique tout cela ***pour que tu comprennes les raisons de ma conduite.***

• Le verbe des subordonnées circonstantielles de but introduites par une locution conjonctive est toujours au mode **subjonctif** :

Aidons-le ***de peur qu'il ne se fatigue trop.***

☞ La **fonction** d'une proposition subordonnée circonstantielle de but est **complément circonstantiel de but**. Elle répond à la question ***pourquoi ?***

✓ LES SUBORDONNÉES CIRCONSTANTIELLES DE CONS QUENCE

• Elles expriment une conséquence et sont introduites pa

— la conjonction ***que*** précédée de ***tant***, ***tellement***, ***tel(s)***, ***telle(s)*** :

*Elle était **si** émue **qu'elle se mit à pleurer**.*

— la locution conjonctive ***pour que*** précédée de l' des termes ***assez***, ***trop peu***, ***trop***, ***suffisamment*** :

*Il fait trop froid dehors **pour qu'on puisse sor dehors sans manteau**.*

— les locutions conjonctives ***de façon que***, ***de so que***, ***si bien que***, ***de manière que***...

*Il avait pris l'habitude de se lever tôt le matin **sorte qu'il pouvait mener à bien toutes ses activit***

• Le verbe des subordonnées circonstantielles de cons quence introduites est :

— au mode **indicatif** (fait réel) ou **conditionnel** (f possible ou probable) :

*Elle insista avec **tant** d'habileté **qu'elle arriva à ses fi***

*Il est **tellement** en colère **qu'il pourrait perdre contrôle de lui-même**.*

— au mode **subjonctif** :

*Aidons-le **de peur qu'il ne se fatigue trop**.*

☞ La **fonction** d'une proposition subordonnée circon tantielle de conséquence est **complément circonsta tiel de conséquence**. Elle répond à la question ***quel conséquence ?***

✓ **LES SUBORDONNÉES CIRCONSTANTIELLES DE CONCESSION**

• Elles expriment une concession ou une opposition et sont introduites par les conjonctions ou les locutions conjonctives :

— ***quoique***, ***bien que***, ***pour… que***, ***si… que***, ***quoi que***, ***quel(le) que***, ***quels (quelles) que***, etc.

J'accepte de l'attendre encore une fois ***bien que ses retards incessants m'excèdent***.

• Le verbe des subordonnées circonstantielles de concession ou d'opposition introduites est au mode **subjonctif** :

Quoi qu'il dise *ou* ***qu'il fasse***, *je me méfierai toujours de lui*.

☞ La **fonction** d'une proposition subordonnée circonstantielle de concession est **complément circonstantiel de concession**.

✓ LES SUBORDONNÉES CIRCONSTANTIELLES DE CONDITION

• Elles expriment une condition ou une supposition. Elles sont introduites par :

— La **conjonction de subordination** ***si***, suivi d'un verbe à l'**indicatif**.

a) ***Ecoute****-moi enfin* ***si tu veux comprendre ce qui se passe***.

b) ***Si vous venez ce soir***, *je vous* ***montrerai*** *mes photos de vacances*.

Dans les exemples a) et b), le verbe de la proposition principale est à l'indicatif ou à l'impératif.

c) ***Si j'avais beaucoup d'argent***, *je* ***ferais*** *le tour du monde*. (supposition dans le présent ou le futur) *d)* ***Si j'avais eu beaucoup d'argent, j'aurais fait*** *tour du monde.* (supposition dans le passé)

Dans les exemples c) et d), le verbe de la propositic principale est au conditionnel.

— Les **locutions conjonctives** : ***alors même qu*** ***quand bien même que, au cas où***, suivi d'un verbe a **conditionnel** :

Ne lui dis rien de notre conversation ***au cas où tu*** ***rencontrerais aujourd'hui.***

— Les **locutions conjonctives** : ***à condition que, pou*** ***vu que, à moins que, à supposer que, en admettant qu*** ***soit que ... soit que***, suivi d'un verbe au **subjonctif** :

Il viendra sûrement, ***à moins qu'il n'ait chang*** ***d'avis entre-temps.***

Tu peux essayer de le convaincre ***à supposer qu'*** ***accepte de t'écouter.***

☞ La **fonction** d'une proposition subordonnée circons tantielle de condition est **complément circonstantiel d** **condition**. Elle répond à la question ***à quelle condition***

✓ LES SUBORDONNÉES CIRCONSTANTIELLES DE COMPARAISO

• Elles expriment une comparaison et sont introduites par

— La **conjonction** ***comme*** ou les **locutions conjonc** **tives** ***ainsi que, de même que, aussi que*** :

J'ai attrapé un rhume ***comme beaucoup de mond*** ***(l'a attrapé) cet hiver.***

La proposition subordonnée de comparaison est sou vent elliptique : dans l'exemple ci-dessus, on pourra éviter la répétition du verbe entre parenthèses.

Il a renoncé à son projet ***ainsi que je le lui avai*** ***conseillé.***

— La conjonction ***que*** précédée d'un adjectif ou d'un adverbe indiquant l'infériorité, l'égalité ou la supériorité : ***plus***, ***aussi***, ***autant***, ***moins***, ***tel***, etc. :

*Il est beaucoup **plus** malin **que je ne l'étais à son âge** !*

*Elle est **moins** au courant sur toutes ces questions **que je ne le suis en raison de mon travail**.*

• Le verbe de la proposition subordonnée de comparaison est en général à l'**indicatif** ; toutefois, si ce verbe exprime une hypothèse, il sera alors au **conditionnel** :

*Elle est **plus** adroite **que je ne le pensais**.*

*Elle est **plus** adroite **que je ne l'aurais supposé**.*

☞ La **fonction** d'une proposition subordonnée circonstantielle de comparaison est **complément circonstantiel de comparaison**. Elle répond à la question ***comment ?***

e) Proposition participe

• Cette proposition comporte un verbe au mode participe :

***Mon amie ayant sonné à la porte**, j'interrompis ma lecture pour aller lui ouvrir.*

***Elle partie**, je repris ma lecture.*

• Elle n'est souvent reliée à la proposition dont elle dépend par aucun mot de subordination :

*Catherine, **sa peur ayant disparu**, accepta de m'accompagner.* (proposition participe en apposition)

*La petite fille, **sa mère à ses côtés**, se sentit confiante pour traverser la rue malgré la circulation dense.* (cette proposition participe est elliptique : *sa mère* (verbe sous-entendu : *étant*) *à ses côtés*.

***Oubliés nos chagrins**, **oubliés nos soucis**, couron*
tous nous amuser à la fête ce soir !

(dans ces deux propositions participe, les sujets *chagrins* et *soucis* sont inversés)

✘ Attention : voici deux phrases comportant un participe

*a) La nuit, **tombée depuis peu**, nous obligea à inter-
rompre momentanément nos recherches.*

*b) **La nuit étant tombée**, nous décidâmes d'inter-
rompre momentanément nos recherches.*

Dans la phrase a) le groupe : *tombée depuis peu* es
seulement apposé et ne constitue pas une propositio
participe, car le nom *nuit* est le sujet du verbe *obliger*

Dans la phrase b) le nom *nuit* est bien le sujet de la
proposition participe et ne joue pas d'autre fonctio
dans la phrase.

• Les fonctions d'une proposition participe :

La proposition participe joue fréquemment le rôle d'u
complément circonstantiel :

— de temps :

***L'automne étant arrivé**, nous sommes partis dans la
montagne chercher des champignons.*

— de cause :

***Sa mère l'ayant surpris en train d'écouter derrière la
porte**, l'enfant s'échappa en courant hors de la maison*

5. L'ordre des mots dans la phrase

5.1. L'ordre des mots dans la proposition

✓ À l'intérieur de la proposition, **l'ordre des mots** est lié à la fonction grammaticale qu'ils occupent :

SUJET + VERBE.

SUJET + VERBE + ATTRIBUT.

SUJET + VERBE TRANSITIF + COMPLÉMENT D'OBJET.

SUJET + VERBE + COMPLÉMENT D'OBJET + COMPLÉMENT CIRCONSTANTIEL.

Prenons quelques exemples :

(1) Paul (2) marche (3) lentement.
(1) Sujet + (2) verbe intransitif + (3) adverbe.

(1) Cécile (2) est (3) triste.
(1) Sujet + (2) verbe d'état + (3) attribut.

(1) Jacques (2) discute (3) avec ses amis.
(1) Sujet + (2) verbe transitif indirect + (3) complément d'objet indirect.

(1) Elle (2) boit (3) un verre de jus d'orange.
(1) Sujet + (2) verbe transitif direct + (3) complément d'objet direct.

(1) L'arc-en-ciel (2) apparaît (3) après la pluie.
(1) Sujet + (2) verbe + (3) complément circonstantiel.

Lorsqu'il y a plusieurs compléments, ils sont placés les uns à la suite des autres (du plus court au plus long).

(1) (2)J'écrirai (3) une lettre (4) à mon ami (5) ce soir.
(1) Sujet + (2) verbe transitif + (3) complément d'objet direct + (4) complément d'objet indirect + (5) complément circonstantiel.

✓ Les **inversions de mots** (du sujet, de l'attribut ou du complément) sont fréquentes.

• Le sujet est placé après le verbe :

— Dans les propositions interrogatives (sauf lorsque la proposition commence par *est-ce que*) ou exclamatives

As-tu entendu ce que je t'ai demandé ?

Quel est ton nom ? – Vive la République !

— Dans des propositions qui commençent par des mots tels que *à peine, ainsi, du moins, peut-être*, etc. :

***A peine** était-il arrivé qu'il était déjà l'heure de repartir*

***Ainsi** passa l'année.*

— Dans une proposition **incise**, c'est-à-dire intercalée dans une autre proposition :

*Son ami, **me dit-elle**, avait été retardé à son bureau.*

*Viens, **te dis-je**, nous sommes déjà en retard !*

• Le complément est placé avant le verbe lorsqu'il s'agit d'un **pronom interrogatif**, d'un **pronom personnel neutre** ou d'un **pronom relatif** :

***Que** voulez-vous exactement ?*

*Vous avez changé d'avis, je vous **en** sais gré.*

*Il a obtenu les informations **qu**'il demandait.*

☞ Remarque : bien souvent, les inversions modifient l'ordre de la phrase par pur souci esthétique, en fonction du message exprimé, de la nature et de l'importance du message du scripteur, etc., sans répondre pour autant à une règle grammaticale précise.

5.2. Mots indépendants

Tous les mots de la phrase sont rattachés à une proposition, à l'exception :

• des **interjections**, qui sont considérées comme des propositions incises ne faisant partie d'aucune autre proposition :

Ah ! Te voilà enfin !

Chut ! Parle moins fort, tu vas le réveiller.

• des **mots mis en apostrophe** qui servent à interpeller des personnes :

***Mes amis**, buvons à la santé du cher disparu !*

5.3. Propositions coordonnées et incises

A l'intérieur de la phrase, lorsqu'il y a plusieurs propositions, ces dernières s'enchaînent selon la fonction qu'elles occupent : sujet, complément d'objet, complément circonstantiel, etc.

• Les **propositions coordonnées** sont des propositions de même nature unies entre elle par une conjonction de coordination (*et, ou, mais, car, donc*, etc.) :

*La jeune fille sourit **et** son visage s'éclaira.*

*Il était fatigué **mais** il accepta quand même leur invitation à dîner.*

• La **proposition incise** est une proposition indépendante intercalée entre deux virgules ou entre parenthèses dans une autre proposition :

*Un jour, **te rappelles-tu**, tu es venu à mon aide.*

6. Concordance des temps

Lorsqu'une phrase est composée d'une proposition principale et d'une proposition subordonnée, les verbes de ces deux propositions sont liés entre eux dans le rapport au temps qu'ils expriment :

*Je **pense** qu'il **vient**.*

*Je **pensais** qu'il **venait**.*

*Je **pensais** qu'il **était venu** hier.*

Le verbe de la proposition subordonnée peut exprimer :

- une action antérieure à celle de la proposition principale ;
- une action simultanée à celle de la proposition principale ;
- une action postérieure à celle de la proposition principale.

En conséquence, le temps de la proposition subordonnée varie suivant qu'il exprime une action passée, présente ou future par rapport au verbe de la proposition principale.

6.1. Verbe de la proposition principale à l'indicatif présent ou futur

a) Le verbe de la proposition principale est au présent ou au futur de l'indicatif

✓ Le verbe de la proposition subordonnée est conjugué au **présent**, au **passé** ou au **futur de l'indicatif**, suivant qu'il exprime une action présente, passée ou future :

*Je **crois** qu'il **a gagné**. (action passée)*

*Je **crois** qu'il **gagne**. (action présente)*

*Je **crois** qu'il **gagnera**. (action future)*

*Je lui **dirai** que tu **as cherché** à le joindre au téléphone. (action passée)*

*Je lui **dirai** que tu **cherches** à le joindre au téléphone. (action présente)*

*Je lui **dirai** que tu **chercheras** à le joindre au téléphone. (action future)*

✓ Le verbe de la proposition subordonnée, lorsqu'il est au subjonctif, est conjugué au **présent du subjonctif** s'il exprime une action présente ou future par rapport à l'action de la proposition principale :

*Il **souhaite** qu'elle **vienne**. (action présente)*

*Il **exigera** qu'elle **vienne** vous voir. (action future)*

✓ Le verbe de la proposition subordonnée, lorsqu'il est au subjonctif, est conjugué au **subjonctif passé** lorsqu'il exprime une action passée par rapport à l'action de la proposition principale :

*Je **crains** qu'il ne **soit pas venu**. (action passée)*

*Je **souhaite** qu'il vous **ait compris**. (action passée)*

*Je **continuerai** à douter que vous **ayez pu** terminer ce travail à temps tout seul. (action passée)*

6.2. Verbe de la proposition principale au passé

✓ Le verbe de la proposition subordonnée est conjugué au **plus-que-parfait de l'indicatif** lorsqu'il exprime une action passée par rapport à l'action de la proposition principale :

*Je **pensais** que vous **aviez compris**. (action passée)*

✓ Le verbe de la proposition subordonnée est conjugué à l'**imparfait de l'indicatif** lorsqu'il exprime une action présente (donc simultanée) par rapport à l'action de la proposition principale.

*Je **pensais** qu'il **comprenait** mes paroles. (action présente)*

Je ***savais*** *que je* ***pouvais*** *compter sur lui.*
(action présente)

✓ Le verbe de la proposition subordonnée est conjugué au **conditionnel présent** lorsqu'il exprime une action future par rapport à l'action de la proposition principale :

Je ***pensais*** *qu'il* ***comprendrait*** *mes paroles.*
(action future)

Je ***savais*** *que je* ***pourrais*** *compter sur lui à l'avenir.*
(action future)

✓ Le verbe de la proposition subordonnée, lorsqu'il est au subjonctif, est conjugué au **subjonctif imparfait** s'il exprime une action présente ou future par rapport à l'action de la proposition principale :

Il ***souhaitait*** *qu'elle* ***vînt****. (action présente)*

Il ***voulait*** *qu'elle* ***partît*** *demain. (action future)*

*J'****aurais voulu*** *qu'elle* ***partît*** *demain. (action future)*

✓ Le verbe de la proposition subordonnée, lorsqu'il est au subjonctif, est conjugué au **subjonctif plus-que-parfait** lorsqu'il exprime une action passée par rapport à l'action de la proposition principale.

Je ***craignais*** *qu'il* ***fût venu*** *en mon absence.*
(action passée)

Je ***souhaitais*** *qu'il vous* ***eût compris****. (action passée)*

☞ Remarque : si le verbe de la proposition principale est au conditionnel présent, le verbe de la proposition subordonnée peut être conjugué :

• au subjonctif imparfait :

Il se ***pourrait*** *qu'il* ***vînt****.*

• ou au subjonctif plus-que-parfait :

*Il se **pourrait** qu'il **fût venu**.*

Cependant, on tolère aujourd'hui l'emploi :

• du subjonctif présent :

*Il se **pourrait** qu'il **vienne**.*

• ou du subjonctif passé :

*Il se **pourrait** qu'il **soit venu**.*

6.3. Tableau récapitulatif de concordance des temps

PROPOSITION PRINCIPALE

- au présent de l'indicatif : *Je souhaite ...*
- au futur de l'indicatif : *je souhaiterai ...*

PROPOSITION SUBORDONNÉE

- au présent du subjonctif : *qu'il vienne.*
- au subjonctif passé : *qu'il soit venu.*

PROPOSITION PRINCIPALE

TEMPS PASSÉS :

- à l'imparfait de l'indicatif : *Je souhaitais ...*
- au passé simple : *Je souhaitai ...*
- au passé composé : *J'ai souhaité ...*
- au plus-que-parfait : *J'avais souhaité ...*
- au futur antérieur : *J'aurai souhaité ...*
- au conditionnel passé 1re forme :*J'aurais souhaité ...*

PROPOSITION SUBORDONNÉE

- à l'imparfait du subjonctif : *qu'il vînt.*
- au plus-que-parfait du subjonctif : *qu'il fût venu.*

PROPOSITION PRINCIPALE

- au conditionnel présent : *Je souhaiterais ...*

PROPOSITION SUBORDONNÉE

- au subjonctif présent : *qu'il vienne.*
- à l'imparfait du subjonctif : *qu'il vînt.*

---

7. La ponctuation

Dans la langue écrite, la ponctuation est un ensemble de signes utilisés pour marquer des pauses, distinguer et organiser les idées, et différencier les phrases les unes des autres.

Il existe dix signes de ponctuation :

✓ Le point (.)

Ce signe termine les phrases et les sépare les unes des autres. Il est placé à la fin d'une phrase.

Elle aime jouer du piano.

✓ Le point d'interrogation (?)

Il est placé à la fin d'une phrase interrogative directe.

Aime-t-elle jouer du piano ?

✓ Le point d'exclamation (!)

Il est placé à la fin d'une phrase exclamative ou d'une interjection.

Ah ! Comme elle aime jouer du piano !

✓ Les points de suspension (...)

Ils indiquent que la phrase n'est pas terminée, que le sens est suspendu ou laissé à deviner, qu'il y a une hésitation ou une brusque interruption.

L'orage s'approchait, et ses amis qui ne rentraient pas ... Elle était très inquiète.

✓ Les deux points (:)

Ils annoncent une énumération, une deuxième proposition amenée par la première ou qu'une personne va parler. Ils marquent une pause moins forte que le point ou le point-virgule.

Il attendit que le silence revienne dans l'assistance et dit : maintenant, écoutez-moi bien !

✓ Le point-virgule (;)

Il indique un arrêt (plus marqué que celui de la virgule) et sépare deux propositions à l'intérieur d'une phrase.

Ce n'est plus la peine d'attendre davantage ; ils ne viendront plus à cette heure.

✓ La virgule (,)

Elle sépare des mots, des groupes de mots ou des propositions à l'intérieur d'une phrase.

Mon meilleur ami, mon frère, où partez-vous si vite ?

Si elle se cachait derrière les rideaux, personne, pensait-elle, ne pourrait la voir.

✓ Les parenthèses ( )

Elles contiennent un ou plusieurs mots ou une proposition intercalés à l'intérieur d'une phrase.

Grisou (c'était le nom du chat) n'en faisait décidément qu'à sa tête.

✓ Le tiret (—)

Comme les parenthèses, il peut servir à intercaler des mots ou une proposition dans une phrase. Dans un dialogue, il marque le changement d'un interlocuteur.

Venez immédiatement ! — Jamais de la vie. — C'est un ordre !

Mon ami — celui qui est en train de boire un whisky — est de très bonne humeur ce soir.

✓ Les guillemets (« ... »)

Ils contiennent une citation, une phrase ou un discours. Les deux guillemets marquent le début et la fin de la citation.

Jacques, ému, regarda tous ses amis et dit : « Mes chers amis, merci d'avoir tous répondu à mon appel. »

INDEX

(Les numéros renvoient aux pages)

accent, 27
accent tonique (prononciation), 25
accord de l'adjectif
– adjectif composé, 184
– adjectif démonstratif, 199
– adjectif indéfini, 205
– adjectifs numéraux, 201 (cardinaux), 203 (ordinaux)
– adjectif possessif, 196
– adjectif qualificatif, 183, 184
accord du nom, 167
accord du participe passé
– p.p. sans auxiliaire 127,
– p.p. conjugué avec l'auxiliaire *être*, 127
– p.p. conjugué avec l'auxiliaire *avoir*, 128
– p.p. des verbes impersonnels et des verbes intransitifs, 129,
– p.p. des verbes pronominaux, 130
– p.p. suivi d'un infinitif, 131
accord du pronom possessif, 247
accord du pronom relatif, 253
accord du verbe
– règle d'accord ,120
– accord avec un nom collectif 120
– accord avec plusieurs, 121
– accord avec le pronom relatif *qui*, 123
– accord avec des verbes impersonnels, 125
adjectif démonstratif, 198, 199
adjectif exclamatif, 209
adjectif indéfini, 204, 205
adjectif interrogatif, 209
adjectif numéral cardinal, 200
adjectif numéral ordinal, 202
adjectif numéral, 200
adjectif possessif, 195, 196
adjectif qualificatif, 171, 172 (genre), 176 (nombre), 178 (degrés de qualification), 182 (fonctions), 183 (accord)
adjectif relatif, 208
adverbe, 211, 212, 228 (degrés de signification), 229, 230
adverbes d'affirmation, 212
adverbes de doute et d'interrogation, 227
adverbes de lieu, 221
adverbes de manière, 216
adverbes de négation, 213
adverbes de quantité, 224
adverbes de temps, 219
affixe, 18
ailleurs (adverbe de lieu), 221
aimer (conjugaison), 53
ainsi (adverbe de manière), 216
alors (adverbe de temps), 219
alphabet, 20
antonymes, 20
apostrophe (signes orthographiques), 28
apparemment (adverbe de doute), 227
apposition, 166, 183, 279 (déf)
après (adverbe de temps), 219
arrière (adverbe de lieu), 221

article, 192, 192 (défini), 193 (indéfini), 194 (partitif)
assez (adverbe de quantité), 224
assurément (adverbe d'affirmation), 212
attribut, 166, 182, 277
au, aux (formes de l'article défini), 193
aucun, aucune , 204 (adjectif indéfini), 257 (pronom indéfini)
aujourd'hui (adverbe de temps), 219
auparavant (adverbe de temps), 219
auquel, à laquelle, auxquels, auxquelles , 208 (adjectif relatif), 253 (pronoms relatifs)
aussi (adverbe d'affirmation), 212
aussi (adverbe de quantité), 224
aussitôt (adverbe de temps), 219
autant , 224 (adverbe de quantité), 225
autour (adverbe de lieu), 221
autre, autres (adjectif indéfini), 204
autrefois (adverbe de temps), 219
autrui (pronom indéfini), 257
auxiliaires (voir verbes auxiliaires), 42
avant (adverbe de lieu), 221
avant (adverbe de temps), 219
avoir (conjugaison), 49
beaucoup , 224 (adverbe de quantité), 226
bien, 216 (adverbe de manière), 226
bientôt (adverbe de temps), 219
çà (adverbe de lieu), 221
cardinal (adjectif numéral cardinal), 200
ce, cet, cette, ces (adjectif démonstratif), 198
ceci, cela (pronom démonstratif), 249
cédille, 28
celui, ce, celle, ceux, celles (pronom démonstratif), 249
celui-ci, celui-là, celle-ci, celle-là, ceux-ci, ceux-là, celles-ci, celles-là (pronom démonstratif), 249
cent (adjectif numéral cardinal), 202
certain, certaine (pronom indéfini), 257
certain, certaine, certains, certaines (adjectif indéfini), 204
certainement (adverbe d'affirmation), 212
certes (adverbe d'affirmation), 212
chaque (adjectif indéfini), 204
combien (adverbe de quantité), 224
comme (adverbe de quantité), 224
comme (conjonction de subordination), 271
comparatif, 178
complément, 279, 279 (de l'adjectif), 281 (de l'adverbe), 282 (d'agent), 281 (des mots invariables), 168 et 285 (du nom), 288 (d'objet), 279 (de la phrase), 287 (pronom)
compléments circonstantiels, 283
concordance des temps, 306, 310
conditionnel (mode), 44, 48 à 119 (modèles de conjugaison), 138
conditionnel passé 1re forme (temps), 44, 48 à 119 (modèles de conjugaison), 138 (emploi)
conditionnel passé 2e forme (temps), 44, 48 à 119 (modèles de conjugaison), 138
conditionnel présent (temps), 44, 48 à 119 (modèles de conjugaison), 138 (emploi)
conjonction, 270, 270 (de coordi-

nation), 271 (de subordination)
conjugaison interrogative, 78
conjugaison négative, 80
conjugaison, 46, 48 à 119
consonnes, 23
coordonnées (voir propositions coordonnées), 305
davantage , 224, 226
dedans (adverbe de lieu), 221, 222
défectifs (voir verbes défectifs), 82
degrés de qualification (adjectifs qualificatifs), 178
degrés de signification de l'adverbe, 228
dehors (adverbe de lieu), 221, 222
déjà (adverbe de temps), 219
demain (adverbe de temps), 219
depuis (adverbe de temps), 219
derrière (adverbe de lieu), 221
désormais (adverbe de temps), 219
dessous (adverbe de lieu), 221, 222
dessus (adverbe de lieu), 221, 222
déterminant, 187 (définition), 190 (espèces)
devant (adverbe de lieu), 221
dont (pronom relatif), 252, 254, 255
du, de la, de l', des (formes de l'article partitif), 194
du, des (formes de l'article défini), 193
duquel, de laquelle, desquels, desquelles , 208 (adjectif relatif), 253 (pronoms relatifs)
élision, 27, 241
emploi
– de l'adjectif démonstratif, 199
– de l'adjectif indéfini, 205
– de l'adjectif possessif, 196
– de l'article 192
– de la préposition, 268
– des pronoms interrogatifs, 264
– des temps, 133
– du pronom démonstratif, 249
– du pronom indéfini, 259
– du pronom personnel, 238
– du pronom possessif, 247
– du pronom relatif, 254
en, 222, 237, 242
encore (adverbe de temps), 219
enfin (adverbe de temps), 219
ensuite (adverbe de temps), 219
entrer (conjugaison), 65, 68
environ (adverbe de quantité), 224
épithète, 182
et (conjonction de coordination), 270
être (conjugaison), 51
eux, elles (voir pronom personnel)
exprès (adverbe de manière), 216
féminin des noms (formation), 153
finales aux temps simples (tableau récapitulatif), 81
finir (conjugaison), 53, 56
fonctions
– de l'adjectif qualificatif, 182
– de l'adverbe, 230
– du nom, 165
– du pronom personnel, 238
formes
– du pronom démonstratif, 249
– du pronom indéfini, 257
– du pronom interrogatif, 262
– du pronom personnel, 236
– du pronom possessif, 245
– du pronom relatif, 252
fort (adverbe de quantité), 224
futur antérieur, 43, 48 à 119 (conjugaison), 136
futur simple, 43, 48 à 119 (conjugaison), 136
futur, 40, 48 à 119 (conjugaison), 136
genre
– de l'adjectif qualificatif, 172
– des lettres de l'alphabet, 156
– du nom, 152 (noms communs), 153 (noms propres)

– du pronom, 233, 234
grammaire (définition), 13
gratis (adverbe de manière), 216
groupe nominal, 147
hier (adverbe de temps), 219
homonymes, 19
ici (adverbe de lieu), 221
ici, 223
il, elle, ils, elles (voir pronom personnel)
imparfait, 43, 48 à 119 (conjugaison), 134 (emploi)
impératif (mode), 44, 48 à 119 (conjugaison), 139 (emploi)
impératif passé (temps), 44, 48 à 119 (conjugaison), 139 (emploi)
impératif présent (temps), 44, 48 à 119 (conjugaison), 139 (emploi)
impersonnels (verbes impersonnels), 35 (présentation), 76 (conjugaison)
incises (propositions incises), 305
indicatif, 48 à 119 (conjugaison), 133 (emploi)
infinitif (mode), 44, 48 à 119 (conjugaison), 139 (emploi)
infinitif passé (temps), 44, 48 à 119 (conjugaison), 139 (emploi)
infinitif présent (temps), 44, 48 à 119 (conjugaison), 139 (emploi)
interjection, 272
intransitifs (verbes intransitifs), 33, 65 (conjugaison)
jamais (adverbe de temps), 219
je (voir pronom personnel)
l'autre, les autres (pronom indéfini), 258
l'un, l'une, les uns, les unes (pronom indéfini), 258
là (adverbe de lieu), 221
là, 223
l*aquelle (de, à), desquelles, auxquelles*, 253 (pronom relatif)
le leur, la leur, les leurs (voir pronom possessif)
le mien, la mienne, les miens, les miennes (voir pronom possessif)
le nôtre, la nôtre, les nôtres (voir pronom possessif)
le sien, la sienne, les siens, les siennes (voir pronom possessif)
le tien, la tienne, les tiens, les tiennes (voir pronom possessif)
le vôtre, la vôtre, les vôtres (voir pronom possessif)
le, la, les (article défini), 192
lequel, laquelle, lesquels, lesquelles , 208 (formes de l'adjectif relatif), 253 (formes des pronoms relatifs)
lettres (classification), 20
leur (pronom personnel), 237
leur, leurs (voir adjectifs possessifs)
liaison (prononciation), 26
liste des verbes irréguliers et défectifs les plus courants, 83
locutions adverbiales, 212, 216, 221, 224
loin (adverbe de lieu), 221
longtemps (adverbe de temps), 219
lui (pronom personnel), 237, 240
maintenant (adverbe de temps), 219
mal (adverbe de manière), 216
me, 237 (pronom personnel)
même (adverbe d'affirmation), 212
même (adverbe de manière), 216
même, mêmes (formes de l'adjectif indéfini), 204
mieux (adverbe de manière), 216
mille, millier (adjectif numéral cardinal), 201
modes, 38 (définition et présentation), 133 (emploi)

moi (pronom personnel), 237, 238
moins (adverbe de quantité), 224
mon, ma, mes (voir adjectifs possessifs)
mots (ordre des mots dans la phrase et dans la proposition), 303
mots essentiels de la proposition, 276
mots indépendants, 305
mots, 14 (catégories de mots), 16 (mots variables et invariables), 17 (familles de mots), 151 (mots employés comme noms)
ne (adverbe de négation), 213, 214
nom, 147, 149 (catégories), 152 (genre), 157 (nombre), 165 (fonction), 167 (accord), 168 (compléments du nom)
nombre
– de l'adjectif qualificatif, 176
– des noms, 157
– des pronoms, 233
– des verbes, 38
noms abstraits, 150
noms collectifs, 151
noms communs, 149
noms composés, 151
noms concrets, 150
noms propres, 149
non (adverbe de négation), 213
notre, nos (voir adjectifs possessifs)
nous (voir pronom personnel), 237, 239
nul, nulle , 205 (adjectif indéfini), 257 (pronom indéfini)
nullement (adverbe de négation), 213
on (pronom), 234, 241, 257
ordinal (adjectif numéral ordinal), 202
ordre des mots dans la phrase et dans la proposition, 303
où, 221, 222 (adverbe), 252, 254 (pronom relatif)
oui (adverbe d'affirmation), 212
parfois (adverbe de temps), 219
paronymes, 19
participe (mode), 44, 48 à 119 (conjugaison), 140 (emploi)
participe passé (accord du p.p.)
– p.p. sans auxiliaire 127,
– p.p. conjugué avec l'auxiliaire *être*, 127
– p.p. conjugué avec l'auxiliaire *avoir*, 128
– p.p. des verbes impersonnels et des verbes intransitifs, 129,
– p.p. des verbes pronominaux, 130
– p.p. suivi d'un infinitif, 131
participe passé (temps), 44, 48 à 119 (conjugaison), 127 (accord), 143 (emploi)
participe présent (temps), 44, 48 à 119 (conjugaison), 126, 140 (emploi)
partout (adverbe de lieu), 221
pas, pas du tout (adverbe de négation), 213
passé antérieur, 43, 48 à 119 (conjugaison), 135 (emploi)
passé composé, 43, 48 à 119 (conjugaison), 135 (emploi)
passé simple, 43, 48 à 119 (conjugaison), 134 (emploi)
passé, 40 (définition), 48 à 119 (conjugaison), 134 (emploi)
personne (pronom indéfini), 257, 261
personnes (verbes), 38
peu (adverbe de quantité), 224
peut-être (adverbe de doute), 227
phrase, 273 (définition), 274 (structure), 276 (mots essentiels de la proposition)

pis (adverbe de manière), 216
pluriel (voir : nombres)
pluriel des noms, 157, 159 (noms composés), 163 (noms propres), 163 (noms latins et étrangers)
plus (adverbe de quantité), 224
plus-que-parfait, 43, 48 à 119 (conjugaison), 135 (emploi)
plusieurs (formes de l'adjectif indéfini), 205
plutôt (adverbe de manière), 216
point (adverbe de négation), 213
ponctuation, 311
positif (degré de qualification de l'adjectif qualificatif), 178
prédicat, 277
préfixe, 18
préposition, 267
près (adverbe de lieu), 221
présent, 40, 48 à 119 (conjugaison), 133 (emploi)
presque (adverbe de quantité), 224
probablement (adverbe de doute), 227
proche (adverbe de lieu), 221
pronom, 231, 233 (catégories, genre, nombre)
pronominaux (verbes pronominaux), 34, 70 et 72
pronoms démonstratifs, 249
pronoms indéfinis, 257, 259
pronoms interrogatifs, 262, 264
pronoms personnels, 235, 236, 238, 243
pronoms possessifs, 245, 247
pronoms relatifs, 252, 253, 254
prononciation, 24
proposition indépendante, 289
proposition participe, 301
proposition principale, 290
proposition coordonnée, 305
proposition incise, 305
proposition subordonnée relative, 290
proposition subordonnée circonstantielle
– de but, 297
– de cause, 269
– de comparaison, 300
– de concession, 299
– de condition, 299
– de conséquence, 298
– de temps, 295
propositions, 289 (catégories)
puis (adverbe de temps), 219
quantité (prononciation des lettres et syllabes), 25
que, 271 (conjonction de subordination), 254 (pronom relatif),
quel que, quelle que, quels que, quelles que, 205 (adjectif indéfini), 206, 208 (adjectif relatif)
quel, quelle, quels, quelles (adjectif interrogatif / exclamatif), 209
quelconque, quelconques (adjectif indéfini), 205
quelqu'un, quelqu'une, quelques-uns, quelques-unes (pronom indéfini)
quelque, quelques , 205 (adjectif indéfini)
quelquefois (adverbe de temps), 219
qui, que , 252 , 254 (pronom relatif)
quiconque , 257 (pronom indéfini)
quoi , 254 (pronom relatif)
racine, 17
radical, 17, 45
recevoir (conjugaison), 59, 62
rendre (conjugaison), 64, 66
rien (pronom indéfini négatif), 261
sans doute (adverbe d'affirmation), 212
sans doute (adverbe de doute), 227

sémantique (définition), 13
sentir (conjugaison), 58, 60
si, (adverbe) 212 (d'affirmation), 224 (de quantité)
si (conjonction de subordination), 271
signes orthographiques, 28
singulier (voir : nombres)
soi (pronom personnel), 242
soit (adverbe d'affirmation), 212
son, sa, ses , 195 (adjectifs possessifs)
sonorité (prononciation des lettres et syllabes), 25
soudain (adverbe de temps), 219
souvent (adverbe de temps), 219
structure de la phrase, 274
subjonctif (mode), 48 à 119 (conjugaison), 137 (emploi)
subjonctif imparfait, 44, 48 à 119 (conjugaison), 137 (emploi)
subjonctif passé, 44, 48 à 119 (conjugaison), 137 (emploi)
subjonctif plus-que-parfait, 44, 48 à 119 (de conjugaison), 137 (emploi)
subjonctif présent, 44, 48 à 119 (conjugaison), 137 (emploi)
subordonnées (propositions subordonnées), 290
suffixe, 18
sujet, 165
sujet de la phrase, 276
superlatif (degré de qualification de l'adjectif qualificatif), 180
surtout (adverbe d'affirmation), 212
synonymes, 19
syntaxe (définition), 14
ta, tes (voir adjectifs possessifs)
tant , 224 (adverbe de quantité), 225
tard (adverbe de temps), 219
tel, telle, tels, telles , 205 (adjectif indéfini), 258 (pronom indéfini)
tellement (adverbe de quantité), 224
temps, 40, 42 (temps simples / composés), 133 (emploi des temps), 306 (concordance des temps)
terminaison, 17, 45
toi (pronom personnel), 237
tonalité (prononciation), 25
tôt (adverbe de temps), 219
toujours (adverbe de temps), 219
tout (adverbe de quantité), 224, 260
tout à coup, tout d'un coup, 220
tout de suite, de suite, 220
tout, tous (emplois possibles), 259
tout, toute (emplois possibles), 207, 259
tout, toute, tous, toutes, 205 (adjectif indéfini), 258 (pronom indéfini)
trait d'union (signes orthographiques), 28
transitifs (verbes transitifs), 31
tréma (signes orthographiques), 28
très (adverbe de quantité), 224
trop (adverbe de quantité), 224
tu (voir pronom personnel)
un autre, des autres (formes du pronom indéfini), 258
un, une , 193 (formes de l'article indéfini), 257 (formes du pronom indéfini)
verbe (accord), 120 (règle d'accord), 120 (accord avec un nom collectif), 121 (accord avec plusieurs sujets), 123 (accord avec le pronom relatif *qui*), 125 (accord avec des verbes impersonnels)
verbe (composition), 45

verbe (définition), 29
verbes (catégories de), 30
verbes auxiliaires, 42
verbes d'action, 31
verbes d'état, 30
verbes défectifs, 82 (définition), 83 à 119 (liste)
verbes impersonnels, 35 (présentation), 76 (conjugaison)
verbes intransitifs, 33, 65 (conjugaison)
verbes irréguliers, 82, 83 à 119 (liste)
verbes pronominaux, 34, 70 et 72 (conjugaison)
verbes transitifs, 31
vingt (adjectif numéral cardinal), 202
voix active, 37
voix passive, 37, 71 et 74 (conjugaison)
volontiers, 212 (adverbe d'affirmation), 216 (adverbe de manière)
votre, vos (voir adjectifs possessifs)
vous (pronom personnel), 237, 239
voyelles, 21
vraiment (adverbe d'affirmation), 212
y, 223, 237, 242